Rosette.

Chère Lectrice,

Il existe dans la vie des moments extraordinaires de hasard et de chance.
Dans les romans de la Série Coup de foudre, vous découvrirez le destin étonnant de héros modernes, emportés dans une aventure passionnante, pleine d'action, d'émotion et de sensualité.
Duo connaît bien l'amour. La série Coup de foudre vous séduira.

Coup de foudre : le rêve vécu,
quatre nouveautés par mois.

Une université en Nouvelle-Angleterre

Série Coup de foudre

JOAN WOLF

Jamais je ne t'oublierai

Dito

Les livres que votre cœur attend

Titre original : *Summer storm* (8)
© 1983, Joan Wolf
Originally published by
THE NEW AMERICAN LIBRARY,
New York

Traduction française de : Marie Robert
© 1985, Éditions J'ai Lu
27, rue Cassette, 75006 Paris

Chapitre 1

LA JOURNÉE ÉTAIT SUPERBE ; LES ÉTUDIANTS DE L'UNI-versité de Nouvelle-Angleterre qui n'étaient pas en cours travaillaient par petits groupes, à l'ombre des cornouillers et des érables.

Mary O'Connor s'arrêta quelques instants au haut des marches et offrit son visage aux chauds rayons du soleil de midi.

— Docteur O'Connor ? dit une voix masculine derrière elle.

Mary se retourna ; c'était un de ses plus médiocres étudiants, Bob Fowler, qui lui vouait une adoration inconditionnelle et la poursuivait, sinon de ses assiduités — il n'aurait pas osé —, du moins de ses attentions constantes.

Comme plusieurs de ses condisciples, ce n'était pas le doctorat de littérature anglaise de Mary qui lui arrachait des soupirs passionnés chaque fois qu'il la voyait, ni la qualité de ses cours, ni le succès de son premier livre paru un an plus tôt, mais ses yeux bleus, son teint de nacre, son sourire angélique et sa silhouette de rêve. Et son jeune âge — vingt-six ans —, à peu près le même que le sien.

Avec une patience digne d'éloges, Mary écouta quelques minutes son admirateur, refusa qu'il lui porte sa serviette jusqu'à sa voiture et descendit tranquillement les marches du perron sans même remarquer que tous les regards se tournaient vers elle.

Un flash la cloua sur place.

— Qui êtes-vous ? demanda-t-elle lorsqu'elle comprit que c'était bien elle la cible du photographe.

— Mary O'Connor ? Docteur Mary O'Connor ? insista l'inconnu au lieu de répondre.

— Oui, mais...

— Merci, docteur.

Et sans autre explication il disparut.

Un reporter amateur du journal de l'université, se dit Mary qui rentra chez elle et n'y pensa plus.

Dix jours plus tard, par une chaleur torride, en simple jupe de popeline beige et chemisier à manches courtes de cotonnade bleu marine à pois, sa veste négligemment jetée sur son épaule, Mary descendait de nouveau les marches de l'entrée principale de l'université lorsqu'elle s'avisa que de nombreux étudiants assemblés en petits groupes discutaient avec une agitation inaccoutumée.

— Si j'osais, j'irais lui parler, entendit Mary en passant près d'une de ses élèves.

— Qu'est-ce qu'il peut bien faire ici ? surenchérit un grand gaillard dégingandé. On ne tourne pas de film sur le campus, que je sache.

Instinctivement Mary dirigea son regard vers celui qui suscitait cet intérêt. Nonchalamment adossé à une petite voiture de sport rouge, il étudiait les lieux sans se soucier de l'attention qu'on lui portait.

— Bon sang ! murmura Mary.

— Docteur O'Connor, s'écria Bob Fowler en venant à elle, regardez qui est là ! Christopher Douglas !

— Je vois, répondit Mary froidement.

Il était de profil et suivait une partie de football improvisée sur la pelouse. Un profil que Mary ne connaissait que trop.

Il tourna la tête, reconnut la jeune femme et vint vers elle avec une grâce aussi naturelle qu'étonnante.

— Salut, Kit, dit-elle dès qu'il fut à sa hauteur. Qu'est-ce que tu fais ici ?

Il ne répondit pas tout de suite.

— Tu n'as plus la même coiffure, remarqua-t-il après un examen attentif, sinon tu n'as pas changé.

— Toi non plus.

En fait, elle avait oublié qu'il était aussi grand mais il était toujours l'image vivante de la plus parfaite virilité.

— Qu'est-ce que tu fais ici ? répéta-t-elle, avec un calme plus apparent que réel.

— Je suis venu te voir. J'ignorais ton adresse, ajouta-t-il de sa voix d'or que le cinéma ne mettait pas parfaitement en valeur, aussi ai-je dû passer par l'université. J'ai à te parler, Mary. Un imprévu.

7

Il ne lui fallut pas longtemps pour comprendre ce que son mari avait à lui dire. Curieusement, elle se sentit brusquement fort mal à l'aise.

— Je n'habite pas loin. On peut aller chez moi si tu veux. Suis ma voiture. La bleue, là-bas.

— D'accord. C'est la vieille Buick de ton père ?

— Oui. Son cadeau pour mes vingt-cinq ans.

De fait, Mary habitait dans le voisinage ; quelques minutes plus tard elle s'arrêtait devant une petite maison de bois, genre chalet suisse.

— Charmant, dit Christopher Douglas en descendant de voiture.

— Ce n'est pas à moi. Je ne suis que locataire.

Aussitôt entré, il remarqua sans hésiter :

— Tu as toujours le rocking-chair... et la table, ajouta-t-il en en caressant amoureusement le bois.

Elle était en piteux état, cette table, lorsqu'ils l'avaient achetée cinq ans auparavant. Christopher l'avait décapée, réparée et revernie lui-même.

— Comme tu vois. Tu veux boire quelque chose ?

— De la bière si tu en as.

— Toujours, pour papa quand il vient.

Mary le servit et se versa, pour elle, un confortable whisky.

— Comment va-t-il, ton père ? demanda Christopher sans la quitter des yeux.

— Très bien. Il n'a pas encore pris sa retraite mais il n'accepte plus de nouveaux patients. Lui et maman sont allés en Europe un mois au début du printemps. Ils ont l'esprit plus libre depuis que je me débrouille toute seule.

— Et pas mal à ce que je crois. Tu n'enseignes pas dans une obscure petite université !

— Ce n'est pas trop tôt. Et toi ? Tu as une mine superbe. Le climat californien te réussit, tu es pain d'épice !

— Le soleil presque toute l'année. Même toi tu bronzerais là-bas.

— Moi ? Ça m'étonnerait ! Je ne brunis pas, je deviens écrevisse.

Il la dévisagea un long moment en silence puis reprit :

— Je ne connais personne qui ait une aussi jolie peau que toi.

— Le fameux teint irlandais, ironisa Mary qui aurait tout donné pour se trouver ailleurs.

— Des yeux irlandais aussi.

Mary posa son verre un peu plus bruyamment qu'il n'aurait convenu.

— Trêve de compliments, Kit. J'aimerais savoir ce qui t'a amené ici. Tu aurais pu avoir mon adresse par maman. Cela nous aurait évité cette rencontre à l'université sous le regard aba-sourdi des étudiants ! Qu'est-ce que je vais pou-voir leur raconter ?

— Je n'avais pas envie d'appeler ta mère.

Elle avala une bonne rasade de son whisky. Force lui était de se jeter à l'eau puisqu'il ne voulait pas parler le premier.

— J'imagine que tu es là pour me demander de divorcer.

— Tiens !

— Quelle autre raison, sinon ? D'autant que je me suis toujours demandé pourquoi tu ne l'avais pas fait plus tôt.

— Je pourrais te poser la même question.

Il avait le regard noir le plus envoûtant du monde. Un regard bien difficile à soutenir. Elle baissa les yeux.

— Je préférais te laisser l'initiative.

— C'est toi qui m'as envoyé promener et qui m'as déclaré que tu ne voulais plus jamais vivre avec moi !

— Mmmm...

— Pour une spécialiste de l'anglais, tu articules bien mal !

— Je n'ai pas demandé le divorce parce que pour moi cela ne change rien. Tu sais bien que je ne peux pas me remarier. Toi tu peux. Aussi, si tu veux ta liberté, je te la rends. Je n'ai pas envie de jouer les empêcheuses de tourner en rond !

— J'en avais pourtant un peu peur. Ainsi, tu n'as personne dans ta vie ?

— Enfin, Kit ! s'écria-t-elle, un peu agacée. Tu connais ma famille. Les O'Connor sont plus catholiques que le pape ! Mon destin, dorénavant, c'est le célibat. Ce qui me convient tout à fait, ajouta-t-elle en le défiant du regard. Un mariage m'a suffi, merci !

— Je vois. Tu vas te cloîtrer pour le restant de tes jours.

— L'université a peu de points communs avec un couvent. Je ne me cache pas. Je travaille. J'ai une tâche à accomplir... c'est l'essentiel dans l'existence. Ce n'est pas toi qui vas me contredire.

— C'est en effet ce que je pensais il y a cinq ans.

Elle n'eut pas le temps de lui demander ce qu'il entendait par là.

— Si surprenant que cela te paraisse, ce n'est pas l'envie de divorcer qui m'amène.

— Non ? Quoi alors ?

— Tu n'as pas trouvé un photographe sur ta route la semaine dernière ?

Cette manie de répondre à une question par une autre exaspérait Mary.

— Si, répondit-elle sèchement.

— Il était envoyé par *Personality*.

— Cette feuille à scandale ?

— Hélas ! Tu as déjà lu ce magazine ?

— Les titres, quand j'attends au supermarché.

— Eh bien dans quelques jours ta photo aura les honneurs de la première page. Je suis navré, Mary.

— Tu n'es pas sérieux ? insista-t-elle, horrifiée.

— Si.

Elle reprit son verre. Il était vide.

— Oh !

— Prends-en un autre.

— Sûrement pas. Je roulerais sous la table. Mais toi ? Une autre bière ?

— Non, merci.

— Tu pourrais peut-être me fournir quelques explications.

— Voilà pourquoi je suis ici. Je ne sais pas si tu as suivi ma carrière mais peut-être t'es-tu rendu compte que personne à Hollywood ne sait que je suis marié.

En réalité, elle avait lu tout ce qui avait paru sur lui et vu tous ses films. Mais il était hors de question qu'elle l'avoue.

— Personne n'est jamais venu m'ennuyer, dit-elle simplement. Jusqu'à présent, du moins.

— Je sais. C'est pour cette raison que je n'ai jamais rien révélé. J'accorde fort peu d'inter-views et, lorsque je le fais, je ne parle que de mon métier. Personne n'a jamais songé à m'interroger sur ma vie privée. Ne sachant rien, on en a tout naturellement déduit que j'étais célibataire.

— On doit t'adorer dans la presse si tu es si peu bavard !

— Pas vraiment, mais je m'en moque. J'ai appris dès mon premier film ce que les journalistes peuvent vous faire, ajouta-t-il avec une certaine amertume. Tu le sais aussi bien que moi.

— Je me souviens, en effet.

— Aussi, dès qu'un de ces messieurs croit avoir déniché un renseignement il se précipite dessus. Je ne sais pas comment, mais quelqu'un à la revue *Personality* a appris ton existence.

— Et tu ne peux pas l'empêcher de répandre la nouvelle ?

— Non. Je n'ai découvert le pot aux roses que parce que la fille de ma femme de ménage est dactylo au journal. Je n'ai été averti qu'hier. Le moins que je pouvais faire était de te prévenir.

— Que savent exactement les journalistes ?

— Pas grand-chose sinon que nous étions mariés, que nous nous sommes séparés à cause des ragots sur moi et Jessica Corbet.

— Sûr ?

— Absolument.

— Je vois. Ignorent-ils que nous sommes toujours légalement mariés ?

— Hélas, non ! C'est même tout l'intérêt de la chose, selon eux. L'épouse secrète de Christopher Douglas ! Tu imagines ce qu'ils vont inventer.

— Mais pourquoi, Kit, pourquoi ?

— Je suis désolé, Mary.

— Tu aurais dû demander le divorce... dès que

12

les choses ont mal tourné. D'ailleurs, pourquoi ne l'as-tu pas fait ?

— Parce que je n'en avais pas envie. Je n'en voyais pas plus que toi la nécessité. Tu es la seule femme avec laquelle j'aie jamais eu envie de vivre.

— Tu n'avais pas envie de vivre avec moi mais de t'amuser avec moi. Nuance. Pour cela il fallait quand même que tu m'épouses. Je ne t'en veux pas, Kit, plus maintenant. J'avais autant de torts que toi. J'aurais dû refuser.

— Mais tu ne l'as pas fait.

Son regard erra sur les rayonnages de la bibliothèque.

— Es-tu heureuse, Mary ? As-tu ce que tu voulais ?

— Oui, répondit-elle sans tenir compte de la peine qui lui mordait le cœur. Je me suis fait ma place dans l'univers que j'aimais le plus. Oui, je suis heureuse, insista-t-elle.

— Tant mieux. Tu dois bien abandonner tes chères études de temps à autre. Que vas-tu faire cet été ? Des recherches ?

— Non, cet été, précisa-t-elle avec quelque fierté, je donne une série de cours à Yarborough.

— Vraiment ?

Le petit collège de Yarborough, construit sur les bords du lac du New Hampshire, avait, depuis une dizaine d'années, acquis une grande notoriété grâce à ses festivals de théâtre qui chaque été réunissaient autour du célèbre metteur en scène, George Clark, quelques professionnels et les meilleurs étudiants en art dramatique de tout le pays. On y montait une seule pièce dans d'excellentes conditions techniques et parallèle-

13

ment il y avait trois semaines de cours sur l'auteur et son époque. Les étudiants assidus y récoltaient un certificat et des unités de valeur qui comptaient dans leur cursus universitaire.

— Le sujet, cette année, précisa Mary, c'est la littérature de la Renaissance anglaise. Ma spécialité, comme tu sais. De belles vacances en perspective et payées, par-dessus le marché.

— Et la pièce ?

— *Hamlet.* Rien moins !

— *Hamlet ?* Et qui tiendra le rôle ?

— Adrian Saunders, un acteur shakespearien célèbre, connu aux Etats-Unis grâce à une série télévisée.

— Amusant, non ? dit Christopher.

Il avait son sourire à damner un saint, qui généralement tournait la tête à toutes les femmes, jeunes ou moins jeunes.

— J'imagine.

— Tu vas être assaillie, poursuivie, Mary, ajouta-t-il en se levant. Refuse de répondre. Ne te soucie surtout pas d'être polie. Dans quelque temps l'agitation se calmera.

— Espérons.

Brusquement, elle en eut assez.

— Au revoir, Kit. Merci de t'être dérangé.

Elle ne lui tendit pas la main.

— Désolé que ce soit pour cette histoire. Il y a bien longtemps que personne ne m'a plus appelé Kit, ajouta-t-il avant de s'en aller.

Mary entendit la voiture de son mari s'éloigner ; tristement elle fixait le canapé où il était assis quelques minutes plus tôt. Jamais plus, depuis leur dernière rencontre, elle n'avait été aussi bouleversée.

Elle l'aurait été encore bien davantage si, le lendemain, elle avait entendu la conversation téléphonique de Kit avec son imprésario.

— Chris, s'était écrié Mel Horner quand il l'avait eu au bout du fil. Que faites-vous à New York ?

— Peu importe. Je veux que vous me trouviez un rôle dans le spectacle du festival de Yarborough.

— Pardon ?

— Vous m'avez parfaitement entendu. Je veux aller à Yarborough. On y donne *Hamlet* avec Adrian Saunders...

— Si on a déjà choisi la vedette, que voulez-vous ?...

— N'importe quel rôle fera l'affaire. Laertes, Claudius, le fossoyeur... ça m'est égal.

— Chris, c'est exactement le genre de travail que vous fuyez comme la peste. Les journalistes vont s'étouffer et vous bombarder de questions.

— Mel, je ne vous demande ni conseil ni leçon de morale. Je veux jouer à ce festival. A n'importe quel prix. Compris ?

— Bon, bon, je m'en occupe.

Quatre jours après la visite de Kit à sa femme, la bombe éclata :

CHRIS DOUGLAS MARIÉ ! titrait *Personality.* « Avec un professeur d'université ! »

Professeur ! Ils vont un peu vite, songeait Mary en lisant le magazine, juste avant le premier coup de téléphone.

Pour échapper à ses poursuivants, Mary n'eut d'autre ressource que de quitter précipitamment l'université et de se réfugier dans la maison de

vacances de son frère aîné, dans l'île de Nan-
tucket, au large de Boston. Sa belle-sœur Kathy y
passait l'été avec ses trois enfants et son mari
venait la rejoindre pendant les week-ends.

Mary partagea son temps entre le tennis, la
bicyclette, les promenades et les baignades ; il n'y
avait pas de télévision et pendant deux semaines,
elle n'eut entre les mains que le journal local.
Elle aurait dû se détendre ; or, bizarrement, il
n'en fut rien. Au contraire plus les jours passaient
plus elle était nerveuse... et insatisfaite.

Elle avait pleinement conscience de ce qui la
troublait ainsi ; ou plus exactement de *qui* la
troublait. Elle qui croyait que Kit ne tenait plus
aucune place dans son cœur ni dans sa vie ! Elle
qui s'était si bien organisée pour faire partie d'un
monde où elle évoluait comme un poisson dans
l'eau et où rien ne lui rappelait ce beau garçon
brun qui avait bouleversé son existence au point
qu'elle avait failli en perdre la raison.

La veille de son départ pour Yarborough, le
temps se mit de la partie ; plus morose que
jamais Mary fit une longue promenade solitaire
sous la pluie et face à l'océan se remémora le
temps où elle était étudiante et où elle avait
connu Christopher Douglas.

Chapitre 2

MARY AVAIT ENTENDU PARLER DE CHRISTOPHER BIEN avant de le rencontrer ; en dernière année de la section d'art dramatique à l'université de New Haven il était devenu très populaire à la suite de plusieurs interprétations mémorables.

Cependant trop occupée, Mary n'avait jamais eu le temps d'aller le voir jouer ; à sa manière, elle était aussi une des célébrités du campus : elle faisait des études particulièrement brillantes et à titre exceptionnel avait même été autorisée à suivre les travaux de recherche sur la littérature de la Renaissance conduits par une des sommités du monde enseignant.

Son goût des études effrayait souvent ses camarades masculins mais sa beauté lui attirait cependant de nombreux soupirants.

Benjamine de la famille, Mary avait deux frères et deux sœurs qui n'hésitaient pas à affirmer qu'elle était la plus intelligente de tous.

Ses dons et son travail lui avaient valu l'autorisation de poursuivre ses études dans une université mixte. Mais il avait fallu toute la diplomatie de sa sœur Maureen, l'aînée, pour convaincre sa mère.

— Elle a dix ans de moins que moi et sept de moins que Pat, avait souligné la jeune fille. Elle est d'une autre génération que nous et ce qui était bon pour nous ne l'est plus pour elle.

Leur mère avait finalement cédé et Mary était entrée à l'université de New Haven où elle s'était follement plu et où, contrairement aux craintes de Mme O'Connor, elle n'avait donné dans aucun des vices de son temps : ni alcool, ni drogue, ni aventures. A vingt-deux ans elle était encore aussi pure que l'enfant qui vient de naître !

Peu avant Noël, un de ses camarades l'avait invitée à venir voir *La Nuit des rois*, de Shakespeare.

— Christopher Douglas joue Orsino, avait précisé le jeune homme, on le dit prodigieux.

Mary avait accepté l'invitation et toute sa vie en avait été changée !

Jamais elle n'oublierait cette minute où pour la première fois son regard s'était posé sur Kit. L'obscurité s'était lentement faite dans la petite salle de théâtre, le rideau s'était levé... Il était en scène, nonchalamment étendu sur des coussins multicolores.

D'une voix qui lui avait paru plus mélodieuse que toutes les harpes célestes, il avait commencé :

Si la musique est l'aliment de l'amour,
Jouez, jouez sans cesse, jusqu'à satiété,
Que mon désir s'épuise et meure !

Mary avait écouté, fascinée, transportée au septième ciel. Et lorsque Christopher Douglas s'était levé et avait traversé le plateau, elle s'était réellement crue dans un autre monde. Comment sur cette terre pouvait-il exister un être aussi parfaitement beau, aussi élégant, si plein de grâce, de souplesse et de force en même temps ?

Durant toute la représentation, Mary n'avait vu, n'avait écouté que lui.

Après le spectacle son chevalier servant lui avait offert à dîner dans une pizzeria qu'affectionnaient particulièrement les étudiants. Lorsqu'ils y étaient arrivés, le restaurant était déjà plein. A une table une douzaine de jeunes gens et jeunes filles, parmi lesquels Christopher Douglas, discutaient de la soirée.

— Nous venons de vous voir, dit le compagnon de Mary au héros du jour. Fantastique !

— Je suis content que la pièce vous ait plu, avait répondu la voix d'or. Asseyez-vous avec nous. Je vais chercher des chaises.

Avant d'avoir compris ce qui lui arrivait, Mary s'était retrouvée aux côtés de Kit !

— Vous avez aimé, vous aussi ? lui avait-il demandé en lui adressant un long regard.

— Oui, beaucoup. Vous étiez un Orsino merveilleux.

— Oui ?

— C'est un rôle difficile. Il y faut infiniment de raffinement mais surtout pas de mièvrerie ni rien d'efféminé.

— Vous connaissez la pièce ?

— La littérature de la Renaissance anglaise est ma spécialité.

— Vous êtes licenciée ?

— Pas seulement, intervint le camarade de Mary qui piqua un fard. Elle a eu une mention très bien et les félicitations du jury ! « Summa cum laude », autrement dit !

— Je devrais peut-être le faire graver sur mon front, avait plaisanté Mary pour se donner une contenance, ainsi tout le monde le saurait.

La plaisanterie n'avait pas atteint le camarade de Mary, mais Christopher, lui, l'avait observée avec plus d'attention.

— Kit, lui avait alors dit un de ses amis, que vas-tu préparer maintenant ?

— Je ne sais pas encore.

A ce moment-là le juke-box s'était mis en marche et plusieurs couples s'étaient levés pour danser.

— Vous venez ? avait proposé Christopher à Mary.

— Avec plaisir.

Il l'avait entraînée vers la minuscule piste de danse et tout de suite enlacée.

— Je crains bien de ne pas avoir entendu votre nom, avait-il dit en la serrant de près.

— Mary O'Connor. Pourquoi vous appelle-t-on Kit ?

— C'était le surnom de Christopher Marlowe, l'auteur élisabéthain célèbre. Un de mes copains prétend que je lui ressemble.

Un portrait du poète, tué dans une bagarre d'estaminet à vingt-huit ans, s'était imposé au souvenir de Mary.

— C'est assez vrai, avait-elle reconnu.

La musique était douce, envoûtante — les bras

de Kit aussi. Elle s'était laissée aller, sans plus penser à rien qu'au plaisir d'être là.

— Vous habitez sur le campus ? lui avait demandé Kit. Je peux vous reconduire chez vous ?

La musique s'était tue et sur un ton qu'elle espérait plein de fermeté Mary avait répondu :

— Non, vous ne pouvez pas me raccompagner. Je suis venue avec un ami, c'est lui qui m'escortera.

Revenue à table, elle avait tenté d'ignorer Kit, et, au moment de partir, avait salué tout le monde à la ronde, évitant soigneusement le regard qu'elle avait senti peser sur elle depuis la fin de la danse.

Une fois seule dans sa chambre, elle s'était vivement reproché sa conduite, parfaitement enfantine, avait-elle estimé. Kit avait certainement dû penser que personne ne lui avait jamais proposé de la raccompagner. Elle aurait dû trouver une réplique humoristique. Mais rien. Elle était infiniment trop impressionnée par ce bel homme brun pour avoir encore de l'esprit.

Le lendemain, il l'avait appelée et invitée pour un soir ; elle avait décliné, disant qu'elle était prise. Il avait proposé une autre date.

— Impossible, avait-elle répondu, j'ai trop de travail.

— Quel genre ?

— Un article.

Elle aurait préféré pouvoir lui répliquer que ce qu'elle faisait de ses soirées ne le regardait pas, mais elle était beaucoup trop bien élevée pour être impolie avec un inconnu.

— Pour quand ce papier ? avait-il insisté.

— La veille des vacances de Noël. Après je serai dans ma famille, avait-elle ajouté, espérant qu'il se découragerait.

— Je vous téléphonerai en début d'année, alors, avait promis la voix qui la faisait frissonner de la tête aux pieds.

— Je serai en plein examen.

— Je vous rappellerai, avait répété Christopher sans se démonter.

Pendant ses vacances, Mary avait essayé de ne plus penser à Christopher Douglas. Elle était sortie plusieurs fois avec un ancien partenaire de tennis, mais elle rentrait toujours de ces rendez-vous la mine contrite et l'air maussade.

— Tu n'as pas l'air très heureux, ma chérie, lui avait dit un soir son père, alors qu'elle rentrait.

— Je ne sais pas... J'en ai un peu assez de tous ces médiocres !

— Médiocres ?

— Oh ! Ils sont gentils, tous ces garçons qui me font la cour. Mais ils ne m'amusent pas beaucoup. Surtout je me demande pourquoi ils sont tous obsédés par le mariage. Pourquoi les hommes veulent-ils tous se marier ?

— Dan veut t'épouser ?

— On dirait.

— Je croyais que tu l'aimais bien.

— Oui, je l'aime bien. Mais il est si... conventionnel. Ses idées, ce qu'il raconte, ses vêtements, sa voiture... Jamais, depuis que je le connais — plusieurs années, du reste —, il ne m'a surprise.

— Alors, il me semble évident que tu ne dois

pas l'épouser, avait répondu le père de Mary avec un grand sérieux.

— Non. Je pense d'ailleurs que je ne me marierai jamais. Je préfère les études, l'enseignement. C'est infiniment plus satisfaisant que de passer des heures avec ces gandins sans intérêt.

Elle était montée se coucher, presque fâchée que sa réflexion ait fait rire son père.

Elle était retournée à l'université un lundi et le vendredi Kit n'avait toujours pas appelé, ce qui l'avait contrariée plus que de raison. D'après elle, tenir une promesse était le minimum de la courtoisie d'autant qu'elle avait refusé deux invitations pour le samedi.

Elle lisait dans sa chambre, ce soir-là, lorsqu'on l'appela au téléphone. Kit était dans le hall et voulait l'emmener dîner.

La soirée avait été merveilleuse ! Kit n'était nullement une abominable star comme Mary l'avait redouté ; très gentil, courtois, attentionné, il s'intéressait à tout et l'avait beaucoup fait rire. Elle n'avait passé que quelques heures avec lui mais lorsqu'elle l'avait quitté elle avait eu l'impression de le connaître depuis toujours.

Le garçon le plus charmant qu'elle ait jamais rencontré, s'était-elle dit plusieurs fois au cours de la soirée. L'homme le plus charmant, pour être exact. Il n'avait que quatre ans de plus qu'elle mais son expérience de la vie était infiniment plus vaste.

Mary frissonna. La pluie était glaciale. Ou peut-être ces souvenirs l'émouvaient-ils trop profondément.

Dieu, qu'elle était sûre d'elle, confiante, en ce

temps-là ! Evidemment, la sagesse aurait été d'éviter Kit mais à vingt ans sait-on seulement ce qu'est la sagesse ? Et puis ne plus le voir lui avait paru tout bonnement impossible.

Ils en étaient arrivés au point crucial assez rapidement. Kit avait insisté pour qu'elle devienne sa maîtresse et elle avait refusé.

C'était peu dire qu'il s'était montré persuasif et elle, de tout son être, appelait ses caresses. Mais elle avait aussi une volonté de fer à laquelle Kit s'était heurté sans résultat.

Un soir qu'ils étaient devant chez la jeune fille, dans une voiture empruntée à un copain, il l'avait passionnément embrassée. Une fois de plus, il avait posé la fameuse question :

— Je peux monter ?

— Non.

— Mais, enfin, Mary ! Pourquoi ?

Il avait repris ses lèvres. Elle avait fermé les yeux ; rien dans son éducation, dans sa vie ne l'avait préparée à l'émoi qu'elle ressentait quand Kit l'embrassait. Sa main s'était glissée sous son manteau et il avait commencé à la caresser.

— J'ai envie de vous, Mary. Terriblement. Laissez-moi monter chez vous.

— Non, avait-elle répété.

— Mais pourquoi, bon sang ?

— Parce que c'est un péché, avait-elle répondu comme elle répondait à tous ses soupirants.

— Un quoi ?

— Vous avez très bien entendu. Un péché. Contre le sixième commandement, celui qui dit : « Tu ne... »

— Je sais, l'avait-il interrompue, exaspéré. Mais vous n'êtes pas sérieuse ?

Si, elle l'était. Dans certains domaines les idées de Mary avaient toujours été — et étaient encore — claires et simples... et totalement irréversibles. L'amour avant le mariage était un péché : elle ne céderait pas !

Kit n'avait pas ménagé ses efforts pour la faire changer d'avis. Son imagination était intarissable ! Probablement aurait-elle fini par lâcher prise si elle n'avait pas mis tous ses soins à ne jamais être seule, en privé, avec lui et à refuser de sortir lorsqu'il annonçait qu'il aurait une voiture.

Durant un mois il n'avait plus donné signe de vie. L'enfer ! Un mois pendant lequel elle avait douloureusement compris qu'elle l'aimait vraiment.

La découverte n'était pas particulièrement réjouissante. Ils appartenaient à des mondes diamétralement opposés. Celui de Kit ne lui inspirait guère confiance, elle le craignait même. Le hasard les avait mis face à face, mais, en juin, après leurs examens, ils partiraient vers leurs destins qui ne se croiseraient probablement jamais plus. Elle poursuivrait ses études et deviendrait professeur. Lui serait, tôt ou tard, un grand acteur. Elle en avait l'absolue certitude. Il était beau, plein de talent et savait ce qu'il voulait. Rien ne l'arrêterait. Il lutterait jusqu'à obtenir son nom en énormes capitales au haut de l'affiche. Et, dans cet avenir-là, il n'y avait pas de place pour elle !

En mars, Mary s'était vu octroyer une bourse pour préparer une thèse et Kit avait été engagé dans la troupe d'un théâtre de New Haven, le Long Stage, qui présentait des spectacles souvent repris à Broadway.

Quand il lui avait téléphoné pour lui annoncer la nouvelle, bouleversée d'entendre de nouveau sa voix, elle avait accepté de sortir avec lui pour fêter l'événement.

Il l'avait emmenée chez Guido où ils s'étaient rencontrés la première fois. Kit avait remplacé la bière traditionnelle par une bouteille de vin.

— J'ai loué un appartement dans un quartier agréable de New Haven, avait-il expliqué. C'est petit mais très agréable, et bon marché. J'ai même accès au jardinet qui entoure la maison. Vous pourriez vous installer avec moi... ce qui ne vous empêcherait pas de poursuivre vos études.

— Non.

— Mon Dieu ! Il y a des jours où j'ai l'impression que vous n'avez que ce mot-là à la bouche.

— Vous n'auriez pas dû m'appeler. Et moi je n'aurais pas dû accepter votre invitation. Je vais prendre un taxi et rentrer, avait-elle ajouté, les larmes aux yeux.

— Non, Mary. Je vous en prie, asseyez-vous.

Bizarrement, elle avait obéi et, tandis qu'elle essuyait ses larmes, il avait entrepris un long discours :

— Je veux continuer à jouer la comédie. J'aime ce métier plus que tout et je crois que je peux réussir. J'ai du travail pour l'instant, mais l'argent se fait rare. Malheureusement je n'ai pas de famille vers qui me tourner si je me retrouve au chômage. J'ai fait des études grâce à des bourses et des prêts et toute ma fortune se réduit à des dettes. Vous ne savez pas ce que signifie le manque d'argent. Vous avez été élevée dans une maison confortable. Votre père est médecin et votre mère membre de tous les clubs de votre ville. Vos frères et sœurs sont solidement établis. Vous êtes intelligente, belle et pure. Vous avez raison de me fuir. Vous devriez épouser un ingénieur ou un avocat. Un type comme votre frère aîné qui pourra vous accueillir dans une belle maison de la Nouvelle-Angleterre où vous enseignerez dans un collège local. Et vos enfants feront partie des équipes sportives du cru.

— En somme vous avez organisé mon avenir.

Il ne prêta aucune attention à l'interruption de Mary et poursuivit :

— Mon avenir à moi est incertain... pour le moins. Je n'ai pas le droit de demander à une fille de lier son sort au mien... surtout pas vous. Mais je vous aime. Ce dernier mois a été simplement épouvantable.

— Je sais, avait-elle murmuré. Moi aussi je vous aime. Mais... pourquoi dites-vous : surtout pas moi ?

— A cause de tout ce que je viens de vous dire. Vous n'êtes pas faite pour être la femme d'un acteur. Pour vous le mariage n'est pas une plaisanterie.

— En effet.

— Cela étant dit et bien considéré, avait-il repris en plongeant son regard dans celui de Mary, voulez-vous m'épouser ?

— Oui, avait-elle répondu, le cœur battant et la gorge nouée.

L'irruption de Kit dans la chaude et sage famille de Mary avait un peu fait l'effet d'une bombe.

Pendant le week-end qu'ils avaient passé chez les O'Connor, la mère de Mary, visiblement inquiète des projets matrimoniaux de sa fille, n'avait cessé de sonder son cœur.

Sans doute regrettait-elle amèrement d'avoir autorisé Mary à fréquenter l'université. Si elle était restée dans son collège religieux, jamais elle n'aurait rencontré Christopher Douglas.

— Vous êtes si dissemblables, ma chérie, avait-elle dit à Mary, timidement. Tu es si intelligente, si cultivée. Les études t'ont toujours tellement passionnée.

— Kit n'est pas précisément un imbécile ni un illettré. Il a une maîtrise de mathématiques.

— De mathématiques ?

— Oui. Il est venu au théâtre pour s'amuser et il a découvert que cette branche l'intéressait plus que tout le reste. Mais il a terminé ses études de maths avant de s'engager dans celles d'art dramatique. Il finit toujours ce qu'il commence. C'est un merveilleux acteur. Il réussira.

— Si tel est le cas, aimeras-tu le genre de vie que cela impliquera ? Avec toute cette publicité ? Et tous ces gens de Hollywood ! Je suis sûre qu'ils se droguent. Sans parler des divorces...

— Je sais, maman. Crois-moi, j'y ai réfléchi. Mais je l'aime. Qu'est-ce que je peux faire, sinon l'épouser ?

— Il plaît bien à ton père, apparemment.

— Tu sais, maman, le pire dans l'existence c'est de décider qu'il y a un genre d'homme qu'on n'épousera jamais et un genre de vie qu'on ne mènera jamais. Le ciel se venge et vous envoie justement ce que l'on refusait a priori. A moi, il a envoyé Kit.

— Il est un peu... inquiétant.

— Peut-être. Mais il existe et j'ai besoin de lui.

— Dans ce cas, ma chérie, je n'ai rien à ajouter. Vous pourriez vous marier en juin.

Kit avait été quelque peu surpris d'apprendre qu'il se marierait en grande pompe, pour satisfaire aux désirs de sa future belle-mère. Mais ce n'était pas tant l'apparat qui l'avait chagriné que le délai.

— Juin! s'était-il écrié. Vous allez me faire attendre jusqu'en juin!

— J'ai bien peur que oui, avait répondu Mary avec un sourire malicieux.

— Pourquoi? Du moment qu'on va se marier, quelle importance, cet anneau?

— Ce n'est pas la bague au doigt qui change tout, c'est le sacrement. Oh! Kit! Je vous l'ai déjà expliqué tant de fois...

— Je sais. Je n'ai plus les idées très claires. Et c'est entièrement votre faute.

— Mon pauvre chéri, vous êtes si drôle...

Il l'avait quittée fort en colère.

Le mariage avait eu lieu une semaine après la fin de l'année universitaire, dans l'église où Mary avait été baptisée, suivi d'une réception de deux cents personnes. Les jeunes mariés devaient passer leur lune de miel au Cap Cod.

Mais quand ils avaient quitté la maison des O'Connor, Kit avait pris résolument la route vers l'ouest au lieu de gagner la côte.

— Hé! avait protesté Mary. Nous n'allons pas par là.

— Si. Nous passerons la nuit dans notre appartement. Demain nous partirons pour la mer.

— En voilà une idée! On nous attend à Chatham.

— Peut-être mais je ne vais pas conduire cinq heures le jour de mon mariage. Je préfère garder mes forces.

Il avait fallu un petit moment à Mary pour comprendre à quoi il faisait allusion. Un étrange frisson l'avait parcourue.

— Oh! Je vois, avait-elle murmuré.

Leur appartement n'avait que deux pièces — une chambre et un salon — plus une grande cuisine. Les meubles, peu nombreux, venaient pour la plupart de la famille de Mary, notamment le grand lit en érable.

A peine avaient-ils refermé la porte sur eux que Kit entraînait sa femme dans la chambre, posait leurs valises et fermait les rideaux : enfin Mary allait être à lui !

Il l'avait longuement contemplée comme s'il ne parvenait ni à se rassasier du spectacle ni à se convaincre qu'aujourd'hui elle ne se refuserait plus. Elle était si jolie, si fraîche dans sa robe chemisier de soie bleue, avec ses cheveux soyeux et son regard amoureux !

— Alors, avait-elle plaisanté, nous en arrivons à cet instant solennel dont l'idée te met dans tous tes états depuis six mois ?

Lentement, il avait dénoué le ruban qui retenait ses cheveux et, lorsqu'il l'avait embrassée, elle avait répondu passionnément et lui avait noué les bras autour du cou.

Jusqu'alors il y avait toujours eu une invisible barrière entre eux, barrière que Mary s'était appliquée à dresser dès que la situation devenait dangereuse. Mais aujourd'hui plus rien ne la retenait.

— Maintenant, avait-il dit d'une voix rauque, le souffle court, laisse-moi faire.

Délicatement il avait commencé à lui déboutonner sa robe, dévoilant peu à peu un buste sans défaut, à la peau nacrée, presque transparente.

— Dieu, que tu es belle ! avait-il murmuré en la caressant tendrement.

Merveilleusement délicat, il avait fait connaissance avec ce corps rêvé depuis des mois, du bout des doigts d'abord, des lèvres ensuite, attentif à tout apprendre de la femme qu'il découvrait.

— Je te reconnaîtrai toujours à cela, murmura-t-il en caressant un grain de beauté coquin, juste au-dessous du sein droit.

Puis, le regard brûlant et les gestes doux, il avait fini de déshabiller Mary, tout en lui chuchotant des paroles passionnées. Avec quel art, quelle chaleur, quelle gentillesse, il avait su progressivement éveiller le désir le plus fou...

Dévêtu en quelques secondes, il n'était pas revenu à elle immédiatement ; il avait attendu qu'elle l'appelle, qu'elle lui tende les bras.

Impatiente qu'il apaise enfin l'incendie qu'il avait allumé en elle, Mary avait cependant docilement répondu à ses désirs, obéi au moindre de ses souhaits. Lorsque, enfin, il en avait fait sa femme, elle s'était émerveillée du plaisir qu'il avait su lui donner.

— Mon Dieu, comme je t'aime... comme je t'aime, avait-elle murmuré, en reprenant lentement son souffle.

Elle avait senti contre son sein battre le cœur de Kit, frémir ses muscles sous ses doigts, et écouté avec délices sa respiration haletante. Comment avait-elle pu le mettre dans un état pareil ? Comment avait-elle pu elle-même éprouver tant d'émotions inconnues...

— C'est la première fois que je comprends Anna Karénine, avait-elle dit en se lovant au creux de l'épaule de Kit.

— J'espère, avait-il répondu, le regard brillant d'orgueil, que tu n'as pas l'intention de te jeter sous un train, comme cette tragique héroïne !

— Tu sais bien ce que je veux dire. Jamais je n'avais encore imaginé ce qu'un homme pouvait apporter à une femme.

— Tu es merveilleuse, ma princesse, ma sorcière irlandaise. Je t'aime.

— Je serais divinement bien, avait repris Mary, si je n'avais pas si faim.

— Les grands esprits se rencontrent ! Je pensais justement à aller nous chercher un petit en-cas. Une pizza vous irait, princesse ?

— Avec du jambon.

— D'accord. Mais, je te préviens, cette sortie n'est qu'un interlude. Nous n'en avons pas fini.

— Tu sembles bien sûr de toi.

— Aurais-je tort, par hasard ?

— Va, avait-elle répondu, plus troublée qu'elle n'aurait voulu. Et reviens vite.

Le lendemain matin ils étaient partis pour Cap Cod. Une semaine de bonheur parfait, suivie d'un été radieux passé à peindre leur appartement et à chercher de vieux meubles dans les ventes des petites bourgades environnantes.

Leur bonheur avait duré exactement sept mois.

Ils avaient beaucoup travaillé sans que pour autant leur escarcelle se remplisse en proportion. Pauvres d'argent, ils débordaient d'amour.

— Je crois que je vais présenter une thèse sur

l'art et la manière de préparer des steaks hachés, déclara un jour Mary en plaisantant.

— Qu'est-ce que tu as contre le steak haché ? C'est nourrissant, savoureux et bon marché. Une invention de génie.

Le 6 janvier de l'année suivante, leur idylle avait pris fin — le jour où le médecin qu'elle venait de consulter lui avait appris qu'elle était enceinte.

Chapitre 3

— MAIS C'EST ABSOLUMENT IMPOSSIBLE, S'ÉTAIT écriée Mary à l'énoncé du diagnostic. Je ne peux pas être enceinte avec les précautions que je prends.

D'un commun accord, Kit et elle avaient décidé de vivre quelques années de liberté avant d'avoir des enfants.

— Aucun système n'est garanti à cent pour cent, avait expliqué le gynécologue, un vieil ami de son père. Vous attendez un bébé, sans aucun doute, depuis trois mois environ. Ne vous faites pas de souci inutilement. Je vous suivrai moi-même. Je ne vais pas laisser tomber la fille de ce brave O'Connor.

Il avait eu la délicatesse de ne pas évoquer une possibilité d'interruption de grossesse.

Délicatesse que Kit, malheureusement, n'avait pas jugée de mise. La première réaction de colère passée, il avait suggéré qu'elle fasse le nécessaire.

Jamais de toute sa vie Mary n'avait été aussi choquée.

— Réfléchis, avait-il insisté, nous n'avons pas les moyens d'élever un enfant. Je ne possède rien. Je travaille comme un damné... et toi aussi. Qu'adviendra-t-il de tes études si tu as un bébé ?

— J'abandonnerai.

— Pas question. Je ne t'ai pas épousée pour te réduire en esclavage !

— Tu préfères faire de moi une meurtrière.

— Ce n'est pas un meurtre, avait-il répliqué nerveusement.

Les yeux dilatés d'horreur, elle avait gémi.

— Mon Dieu ! Comment peux-tu me dire une chose pareille ? A moi ? C'est de notre enfant qu'il s'agit, tu l'oublies.

Elle s'était mise à sangloter — de terribles sanglots qui l'étouffaient.

Lorsqu'il l'avait prise dans ses bras pour la réconforter elle était restée de marbre.

— Ce n'est pas que je n'attache aucune importance à un bébé, avait-il dit. Au contraire, c'est trop important. Un enfant a besoin de sécurité. Or la sécurité est impossible sans argent.

— L'argent n'est pas l'essentiel. C'est l'amour qui compte.

— Tu en parles à ton aise parce que tu ne sais pas ce que c'est qu'être pauvre.

Désespérément, elle tentait de se calmer, de réprimer ses sanglots. Il l'enlaça plus tendrement.

— Je t'en supplie, ma chérie, ne te mets pas dans des états pareils. Nous garderons ce bébé. Je ne sais pas comment je m'y prendrai mais je trouverai un moyen.

Tant bien que mal ils s'étaient réconciliés mais l'amertume s'était installée dans le cœur de Mary.

Deux mois plus tard on avait offert à Kit un rôle à Hollywood.

— Le metteur en scène est venu à New Haven il y a trois semaines, avait-il expliqué et il m'a vu dans la pièce de Tennessee Williams. Il veut tourner *L'Expérience russe* et me propose de jouer Ivan.

— Fantastique !

Tous deux avaient lu le roman, l'un des grands succès de la saison précédente. C'était un mélange de suspense, d'aventures et d'analyse politico-philosophique. Ivan était un jeune anarchiste autour de qui se nouait toute l'intrigue.

Kit avait tourné un bout d'essai et finalement le réalisateur, ravi d'avoir découvert un nouveau Marlon Brando, l'avait engagé.

Kit était donc parti seul pour la Californie, car il n'avait pas voulu que Mary abandonne ses études. En outre, un tel déplacement en pleine grossesse n'était peut-être pas souhaitable.

D'un commun accord ils avaient décidé d'attendre la fin de l'année universitaire, la naissance de leur enfant et la sortie du film pour choisir leur prochain lieu de résidence.

En conséquence ils avaient quitté leur appartement et Mary était retournée vivre chez ses parents.

La vedette féminine du film, Jessica Corbet, mondialement connue, belle et pleine de talent, avait déjà beaucoup fait parler d'elle : elle s'était mariée deux fois, et deux fois avait divorcé. On lui prêtait aussi de nombreuses aventures.

Naturellement, d'après les journalistes, Kit était son dernier coup de foudre. Au début Mary n'en avait pas cru un mot. Elle connaissait assez les reporters pour savoir qu'ils inventaient avec une extrême facilité les détails les plus croustillants destinés à satisfaire les mauvais instincts de leurs lecteurs.

Si Kit avait téléphoné un peu plus souvent ou écrit plus de deux ou trois fois, elle n'aurait même jamais commencé à douter.

Elle qui avait grandi au cœur d'une famille unie, dans une parfaite sécurité affective, n'était guère prête à ce genre de douloureuse expérience. Aussi, lorsque le doute avait commencé à s'insinuer dans son cœur, tout s'était-il détérioré.

Kit n'avait jamais eu réellement envie de l'épouser, se répétait-elle inlassablement. Il n'avait cédé que parce qu'elle s'était refusée à lui. Quant à leur enfant... Sa réaction avait été assez claire.

Nulle part, dans aucun journal, on n'avait fait mention de l'épouse de Christopher Douglas. Pas un instant il n'était venu à l'esprit de Mary que Kit s'était tu par désir de la protéger. Au contraire, elle avait pensé qu'il était désagréable au nouveau jeune premier américain d'avouer qu'il avait une femme, enceinte de surcroît, qui l'attendait à la maison.

Quand il téléphonait il semblait distant, préoccupé. Elle n'avait pas osé l'interroger sur les ragots qui traînaient dans les journaux, se contentant de répondre à sa froideur par une feinte désinvolture.

Elle avait fini son année universitaire, brillamment comme toujours, et à la fin de juin, avec trois semaines d'avance, elle avait ressenti les premières douleurs. Son père l'avait emmenée à l'hôpital tandis que sa mère essayait de joindre Kit. Lequel n'était ni aux studios ni à son domicile, mais en week-end chez Jessica Corbet ! Son imprésario avait promis de faire l'impossible pour le prévenir.

Après huit heures de souffrances, l'enfant était né... Hélas, le malheureux bébé ne devait pas vivre.

— Je n'ai rien pu faire, avait inlassablement répété le médecin à M. O'Connor. Ces accidents épouvantables se produisent malgré nous, malgré la science.

Kit avait fini par arriver mais, dès que Mary l'avait vu, elle lui avait simplement signifié son congé :

— Va-t'en, lui avait-elle dit. Je ne veux plus te voir. Jamais.

En effet, elle ne l'avait plus jamais revu jusqu'à ce que le photographe de *Personality* fasse son apparition intempestive.

La pluie avait cessé et une petite tache de bleu trouait le ciel. L'orage s'éloignait. Ils finissent toujours par passer, songeait Mary sur le chemin du retour. A condition de savoir attendre.

La tempête de ses amours malheureuses aussi s'était calmée au bout d'un an. De même que s'était peu à peu estompée sa douleur d'avoir perdu son enfant. L'année avait été interminable et horrible. Seul un travail acharné avait sauvé Mary d'un désespoir absolu.

Le jour, plongée dans ses études et ses lectures, elle avait réussi à oublier. Mais les nuits avaient été abominables. Seule dans son lit, elle sanglotait et maudissait Kit. Elle le tenait pour seul responsable de l'échec de leur mariage. Il l'avait abandonnée alors qu'elle avait besoin de lui. Il n'avait pas voulu de leur bébé.

Elle s'était d'autant plus acharnée après lui qu'en son for intérieur elle s'adressait à elle-même d'amers reproches. Avait-elle fait tout ce qu'il fallait ? Et sa réaction en apprenant qu'elle était enceinte, n'avait-elle pas été déplorable ? En bonne Irlandaise profondément croyante, elle finissait par se persuader que Dieu l'avait punie d'avoir d'abord refusé ce don du Ciel. Pour oublier sa honte, elle s'en prenait à Kit.

Aucun de ses professeurs ni de ses camarades n'avait jamais plus fait allusion à son mariage. Ils avaient respecté sa vie privée et cette conspiration du silence, alliée à l'immense travail dans lequel elle s'était engloutie, lui avait été d'un grand secours. A l'université où seuls comptaient les sujets intellectuels, elle s'était sentie plus à l'abri que n'importe où ailleurs.

En deux ans elle avait préparé et soutenu sa thèse avec un tel succès que l'ouvrage avait été publié. Immédiatement sa réputation s'était solidement établie et on lui avait offert un poste d'assistante dans une prestigieuse université du Massachusetts, poste qui ne manquerait pas de se transformer en titularisation définitive si son travail était concluant.

Aussi, jusqu'au jour où Kit était réapparu, avait-elle cru que son avenir était tout tracé.

En fait, depuis cet événement, rien n'avait réellement changé autour d'elle. Ses collègues l'avaient épaulée sans poser de questions, ses étudiants s'étaient ingéniés à la rassurer. L'université et son univers clos continuaient de la protéger. En septembre les révélations tapageuses de *Personality* seraient oubliées.

Mais elle ? Elle n'aurait pas oublié, non. Sa rencontre avec Kit, l'émotion de le revoir l'avaient bouleversée plus que de raison. Pourquoi était-elle encore si vulnérable ?

Comme elle rentrait chez son frère, son visage ruisselait, mais ce n'était plus de pluie.

Le lendemain, Mary regagna son appartement où elle se prépara pour ses trois semaines de cours. Dans la soirée, elle téléphona à ses parents.

— Bonjour, papa, dit-elle gaiement. C'est moi, Mary. Comment ça va ?

— Très bien, ma chérie. Et toi ?

Le ton de son père trahissait une sorte de retenue, de gêne inhabituelle qui intrigua sa fille.

— Moi ? Je suis en pleine forme. Il a fait très beau, et Mike, Kathy et les enfants ont été merveilleux. Juste ce qu'il me fallait : pleins de santé et de bon sens.

M. O'Connor rit doucement :

— Pleins de bon sens, ce n'est pas exactement ce que je dirais de mes petits-enfants. Enfin, je te comprends quand même.

— Je voulais venir vous embrasser mais je pars demain pour Yarborough. Je vous verrai plus tranquillement en août.

— Tu vas toujours à Yarborough ?

— Bien sûr. Voyons, papa, que se passe-t-il ? Tu as l'air bizarre. Maman va bien ?

— Parfaitement. Elle sera désolée de t'avoir ratée. Elle s'entraîne au tennis. Le tournoi du club débute la semaine prochaine.

— Souhaite-lui bonne chance de ma part. Je vous enverrai une carte postale.

— Bonne idée. Profite bien de ton séjour et laisse une chance à la vie. Souviens-toi : les choses ne sont pas toujours ce qu'elles semblent.

— On croirait entendre Hamlet. Tu es bizarre. Tu m'assures que tout va comme vous voulez ?

— Absolument.

— Alors au revoir.

— Au revoir, Mary. Appelle-nous si tu as besoin de nous.

— Sans faute. A bientôt.

Elle raccrocha et fixa l'appareil un long moment.

Qu'est-ce qui avait bien pu germer dans l'esprit de son père et que voulait-il dire au juste par ses phrases sibyllines ?

Chapitre 4

CONSTRUIT EN BORDURE DU LAC DU NEW HAMPSHIRE, AU pied des montagnes Blanches, le collège de Yarborough, vieux de quelque quatre-vingts ans, n'avait rien perdu de son charme d'antan ni de son calme.

Destiné à l'origine aux jeunes gens de bonne famille désireux de poursuivre des études littéraires, il accueillait maintenant autant de filles que de garçons et s'était rendu aussi célèbre par ses sessions d'été et ses productions théâtrales que par son école de ski, l'une des meilleures des Etats-Unis.

Mary, qui n'était encore jamais venue à Yarborough, en avait vu d'innombrables photos et se réjouissait de passer trois semaines dans ce cadre idyllique ; une heure et demie de cours quotidiens lui laisserait le temps de se reposer à peu de frais. On lui offrait le gîte et le couvert, ainsi qu'un petit salaire surtout symbolique. D'autre part, comme elle connaissait à fond le sujet qu'elle aurait à traiter, elle n'avait guère eu de mal à préparer ses leçons.

En arrivant à destination, Mary remarqua, non sans une certaine appréhension, un attroupement devant les grilles d'entrée du collège.

Quelqu'un cria :

— La voilà !

Des flashes partirent, des questions fusèrent. Un garde en uniforme ouvrit la portière de sa voiture :

— Laissez-moi le volant, dit-il à la jeune femme, je vais vous faire franchir le barrage.

— Que se passe-t-il ? demanda-t-elle en se poussant docilement sur le siège du passager.

— Vous êtes Mme Christopher Douglas, non ?

— Mon Dieu ! C'est encore cette histoire qui les agite.

— Les journalistes sont là depuis une semaine. Une vraie calamité !

Les grilles franchies, elles furent aussitôt refermées et bientôt la voiture s'arrêtait devant une vaste bâtisse de brique, agrémentée d'un perron imposant que descendait rapidement un monsieur entre deux âges, plutôt mince et élégant.

— M. Clark, directeur du festival et metteur en scène, expliqua le garde à Mary avant d'abandonner le volant.

— Docteur O'Connor ? s'informa le directeur qui lui ouvrit la portière.

— Oui. Bonjour, monsieur Clark. Quelle agitation à l'entrée !

— Terrible, n'est-ce pas ? répondit le directeur sans paraître autrement troublé. On vous a réservé un des petits pavillons au fond du parc ;

c'est là que logent nos hôtes d'honneur pendant l'été. Je vous y emmène, si vous voulez bien. Vous déposerez vos bagages et nous pourrons faire ensuite un rapide tour du campus.

Aussitôt dit, aussitôt fait. Son bungalow caché au milieu des pins, à proximité d'une dizaine d'autres identiques, plut immédiatement à Mary. Très simple, il comprenait une chambre, un salon et une douche.

— Les repas se prennent en commun, expliqua M. Clark, dans la grande salle à manger du collège : acteurs professionnels, étudiants, professeurs et personnel administratif. On espère faire de ces rencontres l'un des charmes de nos semaines de vie en commun.

— Cela me semble, en effet, une excellente idée, monsieur Clark.

— George, je vous en prie.

— Si vous m'appelez Mary. Tout cela, ajouta-t-elle après un regard alentour, évoque plutôt les vacances que le travail.

— J'espère que vous vous plairez parmi nous. Et que vous aurez le temps de vous reposer et de vous distraire.

Ils se promenèrent un moment dans le parc, discutant de tout et de rien. D'emblée, Mary éprouva une sympathie naturelle pour George Clark, qui, sans être précisément beau, se montrait fort séduisant et très vivant.

Elle lui fit un rapide schéma de son programme de cours et il lui parla des étudiants auxquels elle aurait affaire, qui tous, parallèlement, jouaient dans le spectacle en préparation.

— Comment se passent les répétitions ?

demanda Mary. Vous avez commencé il y a une semaine, je crois.

— Tout irait bien si nous n'avions pas perdu notre Gertrude, la mère d'Hamlet, en cours de route.

— C'est Maud Armitage qui était distribuée dans le rôle, n'est-ce pas ? Que lui est-il arrivé ?

— Elle s'est cassé la cheville en jouant au tennis.

— Mon Dieu ! Quelle catastrophe !

— Vous l'avez dit. Trouver une remplaçante, aussi talentueuse, aussi connue et qui sache le texte, ce n'est pas évident. Nous avons si peu de temps. C'est là le seul point noir de ces sessions d'été : trois ou quatre semaines suffisent à peine pour mettre au point une pièce généralement difficile.

— L'essentiel, c'est tout de même votre Hamlet. Comment se débrouille Adrian Saunders ?

Ils s'approchaient doucement du bâtiment où se trouvaient la salle de spectacle et celle, nettement plus petite, des cours. George Clark s'arrêta net.

— Un problème ? s'inquiéta Mary.

— Vous ne savez pas... Non, c'est impossible !

— Quoi ? Qu'est-ce que je ne sais pas ?

— Qu'Adrian Saunders a déclaré forfait à la dernière minute à cause d'un film. On ne peut pas lui en vouloir. Nous avons dû le remplacer.

L'appréhension nouait la gorge de Mary lorsqu'elle interrogea :

— Qui avez-vous pris ?

Elle ne fut pas surprise d'entendre la réponse.

— Christopher Douglas.

Son premier mouvement fut de fuir.

Elle retourna à son pavillon où, assise sous l'auvent de l'entrée, le regard perdu au loin, elle réfléchit longuement. Finalement, elle décida de ne rien changer à son programme. D'abord pour ne pas causer un nouvel ennui à George Clark qui comptait sur sa présence et ses cours, ensuite parce que les paroles de son père lui revinrent en mémoire. De toute évidence il savait qu'elle allait retrouver son mari. Non seulement il ne l'avait pas mise en garde mais, au contraire, il l'avait invitée à oublier ses rancœurs. Il avait toujours eu un faible pour Kit.

Ses bagages défaits, Mary se doucha, se changea et gagna le salon jouxtant la salle à manger, où, lui avait expliqué George Clark, serait servi l'apéritif.

Dès le seuil, elle le vit ; il était entouré d'un groupe de jeunes filles qu'il écoutait avec une patience exemplaire. Cette attitude, elle ne la connaissait que trop bien : la tête légèrement penchée et le regard rivé sur son interlocutrice favorite...

Un instant il leva les yeux et aperçut Mary. Aussitôt, abandonnant ses admiratrices, il vint au-devant d'elle.

— Je ne savais pas que tu serais ici, dit Mary.

— George m'a prévenu, en effet, que tu l'ignorais. Serais-tu venue si tu l'avais su ?

— Non. Pourquoi as-tu accepté, Kit, sachant que j'assurais la partie universitaire de cette session ? Tous ces journalistes à l'entrée ! Ça va être épouvantable !

— Le moment était venu que je m'essaie à des rôles sérieux à la scène. C'est ce que je préfère. Quand mon agent m'a appelé, j'ai sauté sur

46

l'occasion... d'autant que la nature de nos relations étant maintenant connue, ma présence ne changerait rien.

— Pour toi, bien sûr, répliqua Mary un peu amèrement. Tu es habitué aux journalistes et à leur indiscrétion, toi! Mais moi, Dieu merci, j'échappe généralement à leurs poursuites. Je voudrais bien conserver ce privilège. Ce que tu m'as fait là est assez méchant, Kit. Je suis franchement furieuse.

Le regard de Mary lançait des éclairs tandis que l'acteur, au contraire, souriait. Raison de plus pour se fâcher.

— Allons, princesse, oublie un peu ton bouillant caractère irlandais. Viens plutôt saluer mon agent, Mel Horner.

Princesse. Le nom qu'il lui donnait lorsque...

Une cloche résonna et tout le monde gagna la salle à manger. Mary se retrouva assise entre George Clark et Frank Moore, un ancien condisciple de Kit à New Haven. Lui était en face de Mary, entouré de deux charmantes créatures : son Ophélie et une jeune étudiante en arts plastiques qui travaillait aux décors.

En une semaine les convives avaient eu le temps de faire connaissance si bien que l'atmosphère était plutôt à la détente et à la camaraderie. Les jeunes filles, suspendues aux lèvres de Kit, buvaient ses paroles.

— Que pensez-vous des costumes, Chris? demanda George.

— Ils sont jolis mais un peu lourds, peut-être. Je sais bien que nous sommes en Nouvelle-Angleterre et que du temps de Shakespeare le velours était de rigueur. Mais en été ce n'est pas idéal.

— Surtout sous la chaleur des projecteurs, convint George.

Un court silence suivit pendant lequel chacun savoura le repas. Kit le premier montrait un bel appétit.

— Chris, intervint la douce Ophélie, je voudrais savoir... Vous n'êtes vraiment pas doublé pour les acrobaties et autres cascades ?

— Non. J'aimerais bien qu'on embauche un cascadeur professionnel quand c'est nécessaire. Pour mon dernier film, le metteur en scène n'a rien voulu savoir.

— Pourquoi ? demanda Mary.

Elle revoyait les scènes très dangereuses qui l'avaient angoissée lorsqu'elle avait assisté à la projection.

— Par mesure d'économie, je suppose.

— Ne croyez pas un mot de ce qu'il raconte, protesta Mel Horner. Simplement on n'a pas trouvé de cascadeur qui ressemble suffisamment à Chris, et surtout qui se déplace comme lui. Mais rassurez-vous, docteur O'Connor, le danger n'était pas aussi réel qu'il y paraissait.

— Je fais confiance à Kit pour ne pas prendre de risques inutiles, répliqua Mary.

— Kit ? s'étonna la jeune décoratrice.

— C'est un diminutif de Christopher, expliqua l'acteur à qui le regard exaspéré de Mary n'avait pas échappé.

Sa voisine le regardait avec un intérêt non dissimulé, à la limite du supportable.

— Pourquoi prétendez-vous qu'il n'y avait pas

vraiment de danger ? insista la jeune fille à l'adresse de Mel Horner.

— Parce qu'il est bien trop précieux. Personne dans la profession, et surtout pas son metteur en scène, ne voudrait qu'il lui arrive malheur. Nous n'avons pas tant de vedettes, de nos jours, qui nous assurent des recettes fabuleuses dès la sortie des films.

— Je l'imagine aisément, dit Mary avec une douceur excessive.

Kit lui adressa un regard perçant et, imitant son intonation, il demanda :

— As-tu reçu une nouvelle fois les félicitations du jury et une mention très bien lorsque tu as soutenu ta thèse ?

Elle ne put retenir un sourire complice.

— Excuse-moi.

— Passons, dit-il en se resservant.

— Comment faites-vous, gémit Mel, pour manger autant et rester mince ?

— Il ne fait qu'un repas par jour, répondit Mary sans réfléchir.

Elle rougit d'avoir laissé échapper cette phrase et corrigea :

— Du moins était-ce son habitude.

— Ça l'est toujours.

Kit ne prit pas la peine de cacher son amusement.

Heureusement, Frank Moore fit diversion.

— Un de mes amis suit vos cours, docteur O'Connor, dit-il.

— Ah oui ? Qui ?

— Jim Henley.

— Il était en dernière année, si je ne me trompe.

— Exactement. Je dois vous avouer que je lui ai écrit pour savoir ce qu'il pensait de vous.

— Qu'a-t-il répondu ? demanda Kit, le regard malicieux.

— Il m'a envoyé un télégramme laconique : « A tomber raide ! »

Tout le monde éclata de rire, sauf Mary que les hommages de ses étudiants laissaient froide.

— Bien décevant, ce jeune homme, estima-t-elle. Je prenais Jim Henley pour un brillant esprit.

Frank Moore rougit, George et Mel, quant à eux, se calmèrent aussitôt. Seul Kit semblait encore parfaitement à l'aise.

— Et voilà, fit-il, du Mary tout pur ! J'imagine que tant de placidité décourage ces jeunes gens.

— En effet, reconnut-elle en retenant son envie de rire.

C'était toujours la même chose avec Kit : à un moment ou à un autre il parvenait à faire tomber ses défenses et à la faire rire !

— Mel, reprit Kit sans cesser de fixer Mary, je voudrais que vous m'organisiez une conférence de presse. Pour demain après-midi.

— Une conférence de presse ? répéta l'agent stupéfait. Vous ne voulez jamais... je vous supplie depuis des années...

— Tout le monde peut changer d'avis, non ? Je souhaiterais la présence de George et de la troupe.

— Vous êtes sérieux ?

— Absolument. C'est le seul moyen de calmer ces énergumènes et de mettre un terme à leurs élucubrations. Je ne veux pas que les journalistes importunent ma femme !

Chapitre 5

LE MARDI MATIN MARY AFFRONTA POUR LA PREMIÈRE fois les trente-cinq garçons et filles qui devaient suivre ses cours.

Trente-cinq paires d'yeux qui la dévisageaient sans vergogne, sans doute plus intéressées par ses relations avec Kit, leur dieu du moment, que par ce qu'elle avait prévu de leur exposer.

Les malheureux allaient rapidement déchanter.

Une fois leurs identités déclinées et leur rôle dans la production de l'été précisé, soit à la technique soit dans la distribution, elle leur remit à chacun une liste de lectures indispensables.

— Vous espérez vraiment que nous allons avaler tout cela ? demanda un géant blond qui devait jouer Fortinbras, le roi de Norvège, dans *Hamlet*.

— Evidemment, répliqua Mary que ne surprenait nullement cette protestation. Votre présence

51

ici vous vaudra plusieurs unités de valeur. Vous ne pensez tout de même pas qu'on va vous les donner sans que vous fassiez un petit effort.

— Nous en faisons déjà beaucoup, rétorqua le jeune homme avec un sourire enjôleur. Non que je me plaigne d'assister à vos cours ; c'est plutôt un plaisir. Mais, avec les répétitions en plus, je ne vois pas très bien quand nous aurons le temps de nous plonger dans tous ces ouvrages.

— Je crains que vous ne soyez pas d'une parfaite bonne foi, ni très studieux. Etes-vous certain de vouloir rester parmi nous ?

L'assistance était tellement silencieuse qu'on aurait entendu une mouche voler.

— Certain, finit par dire l'étudiant. Excusez-moi, docteur O'Connor.

— J'accepte vos excuses. D'autres questions ? Non. Parfait. Notre sujet de ce matin est la place que tient le théâtre dans la Renaissance anglaise.

Sans broncher les étudiants prirent leur plume.

La conférence de presse eut lieu dans la pièce attenant à la salle à manger.

Mel Horner, ravi d'avoir pu tirer parti de la belle humeur de son poulain, avait réussi à faire venir des journalistes new-yorkais de la presse écrite aussi bien qu'audiovisuelle.

George, allant de l'un à l'autre, jouait les maîtres de maison en attendant l'arrivée de la vedette. Aimablement il répondait à toutes les questions qui avaient trait davantage à la vie privée de Christopher Douglas et de son épouse qu'à la prochaine création théâtrale.

— Je ne sais pas grand-chose d'elle, affirma de

son côté Frank Moore à un reporter indiscret. Elle a une réputation extraordinaire dans le domaine littéraire. Je n'ai pas encore lu sa thèse mais, si j'en juge par son premier cours de ce matin, cette réputation n'est pas usurpée. Elle possède à fond son sujet... et, ce qui vaut encore mieux, elle le rend passionnant.

George Clark qui était le seul à savoir, avec Mel Horner, que Kit n'était pas par hasard à Yarborough mentit allégrement chaque fois que ce fut nécessaire.

— Leur présence ensemble dans ces vénérables murs, affirmait-il de droite et de gauche, n'est que pure coïncidence. Aucun des deux ne savait que l'autre serait là.

— Comment se comportent-ils l'un envers l'autre ? insista une jeune journaliste.

— Comme des gens civilisés, répliqua George un peu sèchement.

Il commençait à comprendre pourquoi Christopher Douglas fuyait la presse.

Un remous au fond de la pièce attira son attention. Vêtu d'un simple pantalon de toile et d'une chemise de coton bleu marine, le héros du jour venait d'entrer.

On l'attendait, bien sûr, et les regards se portèrent aussitôt sur lui. Mais il y avait plus : une sorte d'aura, de magnétisme émanait de lui, dominant toute l'assistance sans qu'il ait rien fait ou dit de particulier.

George Clark subit le phénomène comme les autres. Une vague appréhension l'envahit : diriger une pareille vedette n'était pas donné à tout le monde.

— Maintenant, commença Mel Horner en s'approchant du micro, mesdames et messieurs, M. Douglas se fera un plaisir de répondre à vos questions. Je vous en prie, une seule à la fois.

Secrètement, il ajouta : Dieu veuille qu'il ne perde pas son sang-froid !

Christopher ne le perdit pas. Au contraire, selon son agent, il offrit à tous ces curieux qu'il méprisait la meilleure représentation de sa carrière.

D'abord il refusa le micro : sa voix portait parfaitement partout. Ensuite il arbora un sourire à damner un saint. Enfin il fit un petit discours qui coupa court à bien des interventions intempestives.

— Ma vie conjugale semble avoir suscité quantité de remous, commença-t-il, je vais donc vous fournir quelques explications. Nous nous sommes connus à l'université, nous nous sommes mariés, mais nous étions trop jeunes et notre union n'a pas duré. On ne peut plus banal, comme vous le voyez.

Kit répéta que sa présence et celle de sa femme à Yarborough n'étaient que le fait du hasard et qu'il n'y avait pas là matière à déclencher une tempête dans un verre d'eau.

— Pourquoi n'avez-vous jamais divorcé ? insista le reporter de *Personality*.

— Nous n'en avons eu envie ni elle ni moi. C'est tout. Si j'avais souhaité me remarier, c'eût été différent. Je suis presque certain qu'un jour ou l'autre les choses s'arrangeront. Mais jusqu'à présent nous avons été un peu trop occupés l'un et l'autre.

— Pourquoi avez-vous gardé ce mariage secret ?

— Nous étions déjà séparés avant mes premiers succès. On n'a jamais eu l'occasion de me demander si j'étais marié. De mon côté, je ne voulais à aucun prix que Mlle O'Connor soit pressée de questions importunes... comme ce fut le cas ces dernières semaines.

— Est-ce la raison de cette conférence de presse ? Pour la protéger ?

— En partie. J'ai honte de lui avoir causé tant d'ennuis. Mais j'espérais aussi que vous vous intéresseriez un peu au rôle que je vais interpréter prochainement. Je ne suis pas remonté sur les planches depuis cinq ans et les personnages de mes films ne ressemblent guère à celui de Shakespeare.

— Alors, comment vous sentez-vous dans la peau d'Hamlet ? demanda un représentant d'Associated Press — la plus grande agence de presse des Etats-Unis.

Dès lors il ne fut plus question que de théâtre, de cinéma, de carrière, d'avenir. Kit circula dans la pièce, répondant aux uns et aux autres, totalement détendu et tous charmes déployés.

— Je n'en crois pas mes yeux, murmura Mel Horner à George Clark. Lui qui déteste les journalistes !

— Oui, mais comme le soulignait l'un d'entre eux tout à l'heure, il veut protéger Mary.

— Vous n'avez dit à personne que Chris avait demandé à venir ici ?

— Bien sûr que non !

— Vous voyez d'ici le tableau si la presse découvrait le pot aux roses !

— Ou si Mary l'apprenait !

— Exact. Quel malheur, soupira Mel Horner,

de cacher une pareille beauté dans une salle de classe ! Elle ferait fortune au cinéma.

— Je ne sais pas, répondit George, si belle qu'elle soit — et Dieu sait ! —, je ne la vois pas dans le rôle d'une star.

— Peut-être pas, en effet. L'ennui, c'est que je ne la vois pas non plus dans celui d'épouse de Chris. C'est pourtant ce qu'il souhaite, lui, apparemment.

— Il a plutôt l'air sympathique et agréable, estima George, mais c'est la vie des vedettes qui est un enfer, non ?

Naturellement Mary ne se montra pas. Son expérience de la presse, une fois connu l'épisode de son mariage avec Kit, avait suffi à la dégoûter des journalistes pour le restant de ses jours.

Quelle existence que celle de vedette, songeait-elle, en allant s'enfermer dans la bibliothèque. Pourtant Christopher l'avait choisie de propos délibéré et en connaissance de cause. Il lui avait même tout sacrifié au passage. Elle espérait sincèrement pour lui que le jeu en valait la chandelle.

Lorsqu'elle estima que la conférence de presse devait être terminée, elle quitta sa cachette, rentra se changer et descendit jusqu'au lac ; le parc du collège longeait l'eau sur presque cinq cents mètres ; près de la rive on avait aménagé une aire de repos avec des chaises longues et plusieurs terrains de jeux.

Elle était confortablement installée sur un transatlantique lorsqu'une voix grave s'éleva derrière elle.

— Tout s'est admirablement passé, dit Alfred

Block, un acteur bien connu des fidèles de Broadway et qui jouait Claudius, beau-père et oncle d'Hamlet.

Agé d'une quarantaine d'années, grand et mince, il avait quelque chose de britannique dans l'allure, mais ses yeux légèrement bridés lui donnaient un vague air oriental.

— C'est fini, donc, répondit Mary avec un sourire un peu figé. C'est ce que je pensais. Voilà pourquoi je suis sortie de ma cachette.

— Où vous enfermez-vous, Mary, lorsque vous voulez échapper aux importuns ?

— A la bibliothèque.

La jeune femme ne goûtait guère la manière dont cet homme la regardait. Pourquoi n'allait-il pas plutôt s'intéresser aux deux jeunes étudiantes en bikini, allongées au bord de l'eau et qui exposaient aux regards indiscrets infiniment plus de trésors qu'elle dans son short et son chemisier ? Alfred Block l'avait déjà poursuivie de ses assiduités la veille après le dîner et elle redoutait fort qu'il ne s'attache un peu trop à ses pas pendant son séjour au collège.

Kit arriva fort opportunément.

— Dieu merci, c'est fini, soupira-t-il en se laissant tomber dans l'herbe aux pieds de Mary.

Brusquement, et bien contre son gré, Mary eut envie de s'approcher de lui. Il était là, allongé de tout son long, détendu, les yeux fermés, les jambes croisées, les mains derrière la tête. Son torse se soulevait au rythme régulier de sa respiration ; une veine de son cou battait...

Du bout du pied elle lui donna un petit coup dans les côtes.

— Aïe ! protesta-t-il.

Il s'assit et se frotta, mimant une horrible douleur.

— Je voudrais savoir ce que tu as raconté à ces messieurs.

— Tu m'as fait mal.

— Tu cours sur les trains, tu descends des falaises à pic, tu te débarrasses de n'importe quel assaillant et tu oses prétendre qu'un effleurement te fait souffrir ?

— Un effleurement !

Il scruta un instant son visage.

— Tu as vu mes films, dit-il avec une soudaine douceur et un regard câlin.

Mary était furieuse contre elle-même.

— Oui, répliqua-t-elle sèchement. J'ai vu tes films.

— Qui ne les a vus ? intervint Alfred Block. Surtout le dernier. Combien a-t-il rapporté ?

Les deux jeunes filles qui se doraient au soleil près de l'eau s'étaient avancées vers le groupe. L'une d'elles, ravie d'avoir quelque chose à dire, répondit immédiatement.

— J'ai lu dans *Variety* que ce serait sans doute la plus grosse recette de toute l'histoire du cinéma.

— Vraiment ? s'étonna Mary, soulagée que quelqu'un détourne enfin son attention de l'acteur. C'est un tel succès ?

— Incroyable ! s'exclama la belle admiratrice de Kit.

Il la dévisagea avec un plaisir évident puis, se tournant vers Mary, il sourit.

— Si tu restes là encore longtemps, tu vas rougir comme un homard.

Riant malgré elle, elle lui adressa une grimace.

— Tu as sans doute raison. Pour l'instant c'est encore rose mais mon état pourrait empirer. Avant que je ne m'en aille, raconte ce qui s'est passé à ta conférence de presse.

— Je crois leur avoir cloué définitivement le bec, à tous ces malotrus, si c'est ce que tu veux savoir.

— Ils vont s'en aller ?

— La plupart, oui.

Leurs regards se croisèrent. Pour Mary c'était presque une caresse.

— Te voilà en sécurité, ajouta-t-il sans la quitter des yeux.

En sécurité ? Sûrement pas tant qu'il serait près d'elle. Certes elle ferait son possible pour l'éviter mais ce ne serait certainement pas facile. La solution consisterait à trouver quelqu'un qui fasse écran entre elle et son mari.

Pas Alfred Block : trop collant ; pas Frank Moore : il pourrait se prendre au jeu ; pas l'étudiant contestataire de ce matin : trop mielleux. Qui, alors ? George, peut-être ? Il était charmant intelligent, plein de talent, assez vieux et expérimenté pour ne pas se monter la tête.

Mary rentra chez elle, se changea et revint lentement vers le pavillon où l'on servait les repas. Son humeur s'était nettement améliorée. Kit se croyait irrésistible ? Eh bien, il allait voir !

Il allait payer cher la responsabilité de l'avoir mise dans une situation aussi critique !

Chapitre 6

DÈS LE SOIR, MARY MIT SES RÉSOLUTIONS EN PRATIQUE.
Elle entra à la salle à manger avec George, s'assit
à côté de lui et durant tout le repas l'écouta avec
toute l'attention dont elle était capable, le cou-
vant de son beau regard d'azur.

Mary ne flirtait jamais. Lorsqu'elle voulait
charmer un homme elle se contentait de l'écouter
en le regardant. Technique éprouvée et irrésistible, qui lui avait à plusieurs reprises valu les
bonnes grâces de vieux professeurs d'abord opposés à son entrée dans leurs rangs à cause notamment de son jeune âge.

De retour au salon, elle autorisa George à lui
apporter du café et pour la première fois de la
soirée tourna les yeux vers Kit.

Comme toujours il était entouré d'une nuée de
jeunes filles.

Assez bonne comédienne, elle aussi, Mary lui
adressa un sourire de commande un peu froid,

s'installa confortablement sur le canapé et accueillit George, qui rapportait une tasse pleine, avec une franche cordialité.

La future Ophélie suivit le regard de Kit et dit :

— Le Dr O'Connor nous a surpris ce matin. Elle nous a remis une liste de livres à lire longue comme mon bras. Le pire, c'est qu'elle s'attend que nous les lisions effectivement.

— Naturellement. Le Dr O'Connor prend son travail très au sérieux.

— Moi aussi. Mais mon premier souci, c'est de jouer Ophélie.

— Vous savez le rôle à la perfection, vous aurez donc tout le temps de vous consacrer à la lecture. Vous apprenez toujours aussi vite ?

Elle rougit d'aise et allait répondre lorsqu'une de ses condisciples intervint :

— Le plus dur, c'est pour vous, Chris. Hamlet est le rôle le plus long jamais écrit par Shakespeare ! Et vous en avez déjà assimilé plus de la moitié. Une vraie performance.

Kit répondit distraitement ; son attention était ailleurs.

Mary, nonchalamment adossée à son canapé, les cheveux épars sur ses épaules, riait de ce que lui racontait George. Alfred Block vint bientôt les rejoindre, puis ce fut le tour de Frank Moore.

Quelques minutes plus tard, Mary étouffa à peine un bâillement, posa sa tasse et se leva. Les trois hommes se précipitèrent pour lui ouvrir la porte. Elle quitta la pièce, seule.

Sortant de sa réserve, Kit courut derrière elle.

Elle était à mi-chemin de son pavillon, sous les pins, lorsqu'il la rattrapa. Sans un mot, il lui emboîta le pas.

— Je ne pense pas que ta route suive la même direction que la mienne, dit-elle sèchement.

Pour l'empêcher d'aller plus loin, il lui saisit le poignet et exposa sa main à la lumière du seul réverbère qui éclairait le sentier où ils se trouvaient.

— Tu portes encore ton alliance, tu es toujours ma femme et j'entends que tu te conduises comme telle. Laisse donc ce pauvre George tranquille. Tu vas lui tourner la tête alors qu'il ne t'intéresse pas. Tu te sers de lui pour me donner une leçon.

Tant de perspicacité la prit au dépourvu.

— Laisse-moi, protesta-t-elle d'une voix incertaine. Je me débrouillais très bien jusqu'à ce que tu fasses irruption dans ma vie. Si ce que tu vois ne te plaît pas, tant pis !

Elle allait lui échapper mais il la rattrapa par la taille. A ce contact, elle tressaillit.

— Que cherches-tu, Kit ?

— Toi, Mary.

Son regard n'avait plus rien de mystérieux ni d'insondable. Toute femme normalement constituée aurait senti ce que signifiaient ces yeux étincelants.

— Je m'en doutais. Lorsque George m'a dit que tu étais ici, j'ai su que tu étais venu pour me persécuter.

— Il ne s'agit nullement de te persécuter, princesse. Simplement je veux que tu sois ma femme, encore. Que tu me reviennes.

Il se pencha légèrement et prit ses lèvres.

Pour la première fois depuis des années elle avait l'impression d'être de nouveau elle-même.

C'était terrifiant. Ces bras autour d'elle, ce buste contre elle, ces lèvres sur les siennes...

Dieu merci, cette fois elle n'avait pas encore totalement perdu l'esprit.

— Non ! s'écria-t-elle en rappelant à elle le peu de bon sens qui lui restait. Non ! Nous avons déjà essayé et nous n'avons pas réussi. Je ne veux pas revivre cet enfer !

— Tu ne m'as jamais permis de m'expliquer. Je n'ai pas eu d'aventure avec Jessica Corbet. Ce n'étaient que des ragots de journalistes.

— Tu plaisantes, je suppose. Le yacht... le week-end à Rome... Tu étais seul avec elle et tu prétends ne pas l'avoir séduite ? Comment veux-tu que je te croie ?

— Tu parles d'une chose qui s'est passée après que tu m'eus renvoyé. Rappelle-toi, tu m'as déclaré que tu ne voulais jamais me revoir ; je t'ai écrit deux lettres auxquelles tu n'as jamais répondu. Alors... Mais pendant que nous étions réellement mariés, je t'ai toujours été fidèle.

— Fidèle ? M'appeler tous les quinze jours et me parler trois minutes, tu appelles cela de la fidélité ? Ne jamais essayer de m'expliquer ce qu'il y avait de vrai derrière tous les racontars, c'est aussi de la fidélité, sans doute. Qu'espérais-tu ?

— Que tu me fasses confiance. Tu ne m'as jamais posé de questions sur Jessica.

— Non. Et je ne t'en poserai pas davantage maintenant. Ta vie privée ne me concerne plus.

— Ton orgueil te perdra.

— C'est tout ce que tu m'as laissé, Kit. Ma fierté et mon travail. Il m'a fallu longtemps pour retrouver l'une et progresser dans l'autre. Je n'ai pas envie de tout risquer une nouvelle fois.

— Tu m'as rendu mon baiser avec passion, tout à l'heure. Tu ne peux pas prétendre que je te suis indifférent.

— Nous avons toujours pris feu et flamme dès que nous étions l'un près de l'autre. C'est ce qui nous a amenés au mariage. Mais se marier signifie autre chose, aussi. Si dans ce domaine nous nous entendions à merveille pour le reste nous n'étions pas très doués.

— Nous sommes plus vieux, aujourd'hui.

— Je sais. C'est bien pourquoi j'ai assez de raison pour refuser de reprendre la vie avec toi. Ce n'était pas entièrement ta faute, Kit. Tu as raison, j'étais bien trop fière pour demander des explications, trop orgueilleuse pour te laisser deviner à quel point j'étais malheureuse. Peut-être maintenant agirais-je autrement. Mais on ne peut pas remettre la pendule à zéro. Nous avons eu notre chance et nous l'avons gâchée. L'homme et la femme que nous étions alors n'existent plus.

— Je ne peux pas le croire. Mary...

— Je ne vois rien de plus à ajouter, répondit-elle tristement. Et j'apprécierais qu'à l'avenir tu te soucies un peu de ma réputation. Que va-t-on penser si on te voit revenir de chez moi ?

— Rien du tout. J'ai le pavillon à côté du tien.

Mary ne dormit pas beaucoup cette nuit-là. Elle ne prévoyait pas qu'il irait si directement au but et lui demanderait de reprendre leur vie commune. Elle pensait qu'il avait simplement envie d'elle.

En fait c'était tout un ; pour lui le mariage

n'était rien d'autre qu'une liaison, une passion physique légitimée. Pas pour elle.

Mary avait beaucoup mûri au cours des quatre dernières années et elle avait compris que leur échec était largement dû à ce qu'ils étaient trop jeunes et entièrement accaparés, chacun de son côté, par leur ambition personnelle. Aucun des deux n'avait pu ou su oublier ses propres désirs pour se préoccuper de ceux de l'autre.

S'ils reprenaient la vie commune, elle devrait faire bien des concessions. Professionnelles, en tout cas. Un couple, encore moins une famille avec des enfants, ne peut connaître la paix et la stabilité si l'un des deux ne cède pas un peu de terrain. Pour Kit, sa carrière était si essentielle, si vitale qu'il ne lèverait pas le petit doigt.

En fait, en échange de son renoncement à elle, il ne lui offrait rien, en contrepartie. Elle l'aimait, elle était obligée de le reconnaître dans la solitude de sa chambre à coucher, et jamais elle n'éprouverait pour personne ce qu'elle ressentait pour lui. Elle comprenait même pourquoi il était aussi volontaire, aussi ambitieux, aussi personnel. Il avait perdu sa mère très jeune ; son père s'était remarié mais il était mort un an plus tard. Kit était resté aux soins d'une belle-mère indifférente. Il avait appris très tôt à se tailler sa place tout seul, à être impitoyable. Lorsqu'il avait pris une décision, il s'y tenait. S'il désirait quelque chose, rien ne l'arrêtait, jusqu'à ce qu'il l'obtienne.

Elle en avait fait l'expérience aux dépens de leur enfant. Puis aux siens.

Maintenant il avait décidé de la reprendre. Il attendait d'elle qu'elle abandonne sa famille, ses amis, sa situation... et pour quoi ?

Pour mener une vie qu'elle détestait et redoutait. Une vie d'où étaient exclus l'intimité, la simplicité, le naturel ; où tout ce que l'on faisait ou disait donnait lieu à mille commentaires.

Bien sûr, il lui offrait des nuits d'amour, des nuits où le monde chavirait sous ses pieds.

Mais le jour ? Et les interminables périodes où il s'en allait au diable pour travailler ? Et toutes les beautés qu'il côtoyait quotidiennement ?

Non, non et non ! Jamais plus elle ne serait Mme Christopher Douglas !

Chapitre 7

TROIS HEURES DE SOMMEIL, CE N'EST GUÈRE SUFFISANT quand on a des soucis plein la tête ; aussi est-ce d'un pas lent et les yeux gonflés que Mary gagna la salle à manger. Elle but une première tasse de café, seule à sa table, mais bientôt son jeune étudiant contestataire de la veille vint la rejoindre.

— Vous savez qui George Clark a fait engager pour jouer Gertrude ? demanda-t-il, tout excité.

— Non.

Mary n'était guère d'humeur à entretenir la conversation.

— Margot Chandler ! Je ne plaisante pas, docteur O'Connor, insista le jeune homme devant l'air ahuri de Mary. Elle a accepté de jouer la mère d'Hamlet.

— Elle est bien trop jeune !

— Elle a quand même plus de quarante ans.

— Elle n'est jamais montée sur une scène.

— Pas que je sache. C'est la nouvelle épidémie qui sévit à Hollywood : l'émigration vers le théâtre !

— Kit n'est pas un nouveau venu, lui. Il a joué plusieurs fois Shakespeare, répliqua Mary, exaspérée et maîtrisant difficilement l'envie de clouer le bec au jeune prétentieux en face d'elle.

Rien ne lui semblait pire que ces jeunes gens de vingt ans qui croyaient tout connaître mieux que tout le monde.

— Je sais bien. Il a laissé un souvenir impérissable à son cours d'art dramatique. On y parle souvent de lui. Mais Margot Chandler, elle, n'a probablement jamais prononcé une seule phrase de Shakespeare de toute sa vie.

— George aurait-il perdu l'esprit ou chercherait-il la difficulté pour le plaisir ?

— Je pense plutôt qu'il n'a plus beaucoup de temps et guère le choix. Si Margot Chandler estime que le moment est venu pour elle d'abandonner les rôles de jeunes premières, pourquoi ne pas s'essayer dans *Hamlet* ? L'exemple de Liz Taylor a dû l'encourager. Ajoutez que bien peu de femmes laisseraient passer une chance de jouer avec Chris.

— Dans le rôle de sa mère ? fit remarquer Mary avec une ironie non dissimulée.

Elle se leva.

— Nous nous reverrons en classe.

— A tout à l'heure donc... Mary, dit-il, confus de sa propre audace.

Mary le fixa un moment, hésitant elle aussi. Par nécessité elle avait toujours maintenu soigneusement les distances entre elle et ses étudiants. Elle était à peine plus âgée qu'eux et se savait séduisante.

Mais à Yarborough la familiarité était de règle et elle y séjournerait trop peu de temps pour que surgissent de réels problèmes. Elle sourit donc aimablement au jeune homme et quitta la pièce.

Son cours se passa le mieux du monde ; les étudiants semblaient déterminés à travailler sérieusement et plusieurs d'entre eux participèrent même, avec grand enthousiasme, à une discussion sur la notion de tragédie au xvie siècle en Angleterre.

Son travail terminé, Mary descendit en ville faire quelques achats. Comme aucun reporter ne la guettait devant les grilles du collège, elle se détendit et s'engagea sur la route, le sourire aux lèvres.

Sa bonne humeur fut de courte durée. A peine sortait-elle d'un magasin qu'un flash la surprit. Un photographe venait vers elle, la chemise ouverte jusqu'à la taille, ce qui, aux yeux de Mary, représentait le comble du débraillé !

— Permettez-moi de me présenter, dit-il. Je suis Jason Razzia, journaliste indépendant. Je m'intéresse particulièrement à vous et à Christopher Douglas, en ce moment, madame Douglas. Pouvez-vous m'accorder quelques minutes ?

— Je n'ai rien à déclarer, monsieur Razzia. Et je n'aime pas qu'on me photographie. Aussi vous serais-je reconnaissante de me laisser tranquille.

— Vous me retirez le pain de la bouche, vous savez. Juste quelques questions. Par exemple, est-il exact que vous et Chris allez reprendre votre vie commune ?

— Absolument pas. J'aimerais vous convaincre que nous ne saurions alimenter votre chronique. Les ponts entre Christopher Douglas et moi sont rompus et bien rompus. C'est tout. Au revoir. Je vous en prie, retirez-vous.

Elle se mit au volant et le photographe prit encore deux clichés avant qu'elle ne démarre.

Ressassant sa rage contre Kit qui lui valait tant d'ennuis depuis un mois, elle regagna le collège où elle s'enferma une fois de plus dans la bibliothèque, décidée à se concentrer sur un article consacré aux chansons élisabéthaines qu'elle projetait de publier.

Comme toujours, la lecture lui calma les nerfs et c'est de meilleure humeur qu'en milieu d'après-midi elle se rendit au bord du lac.

La répétition étant terminée, il y avait foule sur la pelouse ; les uns lézardaient au soleil, d'autres bavardaient, d'autres encore jouaient au volley-ball.

Lorsque Mary retira sa robe de tissu-éponge et descendit vers l'eau en maillot une pièce bleu marine, moulant parfaitement ses formes délicates, tous les regards masculins convergèrent sur elle.

Le lac n'était pas particulièrement large à cet endroit ; il n'y avait que trois petites embarcations de caoutchouc sur l'eau dont une apparemment vide, et rien à l'horizon.

Elle plongea.

L'eau était froide mais Mary, excellente nageuse, reprit son souffle. Le premier choc passé, elle n'hésita pas à tenter la traversée. De la rive, des jeunes gens suivaient ses progrès ainsi que ceux du petit bateau jaune qui semblait lui faire escorte.

Aux trois quarts du chemin, Mary remarqua enfin l'embarcation et surtout son rameur.

— D'où sors-tu ? s'exclama-t-elle à l'adresse de Kit qui paraissait surgi comme par miracle.

— Je me reposais lorsque je t'ai vue traverser le lac. J'ai eu peur que tu ne rencontres un hors-bord alors je t'ai accompagnée. Il y en a souvent, tu sais.

— Je n'en ai pas vu ; j'ai pourtant regardé avant de me lancer. Mais si tu le permets, j'aimerais autant ne pas rester là à faire la conversation, ajouta Mary qui commençait à se fatiguer.

— Monte dans le bateau. L'eau est froide et tu as assez nagé pour aujourd'hui.

— D'accord. Je ne vais pas te faire basculer ?

— Mais non.

Kit faisant contrepoids de l'autre côté du canot, Mary se hissa à bord et accepta avec plaisir une serviette.

— Je ne suis pas encore mûre pour les Jeux olympiques, dit-elle en se frottant les cheveux. C'est plus large que je ne pensais.

— Tu serais arrivée sur l'autre rive sans encombre.

— Probablement. Mais il aurait fallu rentrer !

Comme elle finissait de s'essuyer, elle remarqua la médaille de saint Joseph que Kit portait au cou. Une médaille qu'elle lui avait offerte pour son anniversaire, quatre ans auparavant.

Kit suivit la direction de son regard.

— Tu vois, je l'ai toujours. Je ne sais pas si j'y

crois vraiment mais elle ne m'a jamais quitté. C'est la seule chose qui me reste de toi.

— Kit, je t'en prie.

Après un silence, elle reprit :

— Il paraît que Margot Chandler va jouer ta mère.

— Surprenant, non ? J'imagine qu'elle s'est rendu compte que l'heure des jeunes premières était passée.

— Tu crois qu'elle est capable d'assumer un tel rôle ?

— Peu importe. Il ne s'agit pas d'un personnage très compliqué. En fait, Gertrude n'est pas très différente des Californiennes d'aujourd'hui : belle, séduisante, gentille et superficielle. Le portrait de Margot Chandler, je suppose. Elle n'aura pas beaucoup à composer.

— Un de mes étudiants affirme que la ruée vers le théâtre est la nouvelle épidémie qui sévit à Hollywood. Il sait tout celui-là !

— Tu n'as jamais beaucoup aimé les jeunes gens suffisants. Tu m'as remis à ma place assez rapidement, du reste.

— Tu n'as jamais vraiment été arrogant ou prétentieux. Seulement déterminé.

Quel plaisir de sentir Kit près d'elle ! Il était si harmonieux, si musclé ! Lui si fin, si mince lorsqu'il était habillé, on ne l'aurait jamais soupçonné de cacher une telle puissance. Tandis qu'il ramait avec aisance, Mary admirait chacun de ses mouvements.

Ils approchaient du rivage.

— Une plage ! s'exclama Mary. Je ne savais pas qu'il y en avait sur les bords du lac.

— Moi non plus. Je l'ai découverte hier. Il n'y a

ni débarcadère ni bateau signalant une propriété privée.

— Pourtant, le sable est bien entretenu. Je pense qu'elle appartient à quelqu'un malheureusement, affirma Mary en mettant pied à terre.

— Dans ce cas nous ne pouvons pas rester.

— Dommage. Quel beau sable blanc !

Ils remontaient dans leur embarcation lorsqu'une fois de plus un flash crépita.

Fou de rage, Kit fit mine de se précipiter.

— Non, supplia Mary. Je t'en prie, laisse tomber, Kit.

— Des sangsues ! Quand ils vous tiennent ils ne vous lâchent plus.

— Ce type s'appelle Jason Razzia. Je l'ai déjà rencontré ce matin.

— Razzia ! répéta Kit avec un profond dégoût. Je le connais. Un indépendant qui collectionne les ragots croustillants. Je suis son sujet favori depuis quelque temps.

— C'est tout le temps pareil ? On ne te laisse jamais en paix ?

— Non. En principe, quand je travaille je n'ai pas trop d'ennuis. Ma maison est assez isolée et les photographes ne campent pas à ma porte. Mais en ce moment tu les intéresses prodigieusement.

— Je sais. Et pourquoi ? Parce que tu as décidé de jouer Hamlet à Yarborough.

— Le rôle me fascine.

— Tu aurais pu te passer ton caprice en Californie.

— Je voulais te revoir, ajouta-t-il sans se soucier de l'interruption de Mary. Tu t'imagines peut-être que la presse est le pire inconvénient de la vie californienne. Eh bien tu te trompes. Le pire c'est le côté artificiel, apprêté et l'esprit superficiel des gens. Pas de tout le monde. Il y a des acteurs de talent, des metteurs en scène intéressants comme celui de mon dernier film, mais c'est rare. J'ai l'étrange sensation de toucher les foules mais moi je ne suis jamais ému par rien. Quand je t'ai revue, Mary, j'ai cru rentrer au port, retrouver ma vérité.

Exactement ce qu'elle-même avait ressenti, lorsqu'il l'avait embrassée ! Mais elle n'avait pas envie de se l'entendre formuler clairement, surtout par Kit. Il était trop fin, il savait trop bien comment lui faire perdre la tête.

— Tu ne peux pas, Kit...

— Mary, interrompit-il, écoute-moi, ma douce.

Il lui avait mis la main sur le genou. Ce fut sa perte. Mary ne pouvait supporter de prolonger une sensation si dangereusement agréable.

— Non ! cria-t-elle. Laisse-moi.

Précipitamment, elle plongea et regagna la rive à la nage sous l'œil curieux et goguenard de tous les étudiants en récréation.

Elle ne traîna pas. Elle enfila sa robe d'éponge et ses sandales et fila vers son bungalow comme si elle avait le diable à ses trousses.

Elle avait peur. Peur de lui, d'elle, de l'effet qu'il lui faisait, des souvenirs que sa présence réveillait. Il aurait été si facile, si simple de tout effacer, de lui céder et de retrouver leur vieille complicité ! Comme tout à l'heure sur cette petite plage... Tout paraissait si naturel. Il avait toujours aimé découvrir des endroits inconnus. Lorsqu'ils étaient au Cap Cod... Non, elle ne devait pas penser à ce temps béni !

Allongée sur son lit, les yeux rivés au plafond, Mary essayait de réfléchir. Pourquoi réagissait-elle ainsi en face de lui et pourquoi, dès qu'il était là, toute son animosité contre lui s'évanouissait-elle ?

Sans doute parce qu'elle le connaissait et le comprenait mieux que quiconque. En Californie probablement était-il constamment sur ses gardes et ne se livrait-il jamais.

Avec elle, il n'avait pas hésité. Jamais il ne s'était contraint ou retenu. Leur union avait été brève mais totale. Et il l'avait abandonnée... pour une vie qu'il s'était choisie. Une vie qu'elle était prête à partager avec lui, autrefois. Mais plus maintenant. Elle avait trop besoin de calme et de sécurité. Elle l'aimait mais n'avait pas confiance. Et pour rien au monde elle ne voulait risquer de connaître de nouveau les tourments qui avaient failli la tuer. Une seconde fois, elle n'y résisterait pas. Si elle ne voulait pas se brûler mieux valait s'éloigner de l'incendie !

Pendant le dîner la conversation porta essentiellement sur Margot Chandler. Aucun des acteurs professionnels de la distribution n'avait travaillé avec elle. Gens de théâtre avant tout, ils connaissaient peu le monde du cinéma.

— Je ne l'ai jamais rencontrée, moi non plus, précisa Kit, mais je me suis laissé dire qu'elle était très capricieuse et difficile.

— Comme la plupart des vedettes de cinéma, affirma Alfred Block avec un rictus de profond mépris.

Mary, stupéfaite, le dévisagea. Quelle haine dans la bouche de l'acteur !

— Je n'aurais pas cru cela possible, dit-elle à mi-voix.

Tout le monde la regarda, perplexe, sauf Kit qui s'amusait beaucoup.

— Qu'est-ce qui n'est pas possible ? demanda Frank Moore.

— Une grimace pareille. La lèvre retroussée, l'air dégoûté, le regard mauvais.

L'éclat de rire poussé par George mit le comble au malaise du pauvre Alfred Block.

Fort opportunément une des étudiantes vint à leur secours.

— Chris, lui, n'est pas capricieux, affirmat-elle, sans cacher son admiration.

— En effet, admit George. Pas capricieux, entêté comme une mule.

— Trop de jeux de scène dispersent l'attention, répliqua Kit. Je n'ai pas besoin de m'agiter ou de gesticuler pour qu'on me remarque.

George le savait mieux que personne.

— Entêté, répéta-t-il... quelquefois à juste titre.

Après le repas, une fois au salon, Mary adopta la même tactique que la veille et ne quitta pas George.

— Vous ne joueriez pas au bridge, par hasard ?

— Quelqu'un a parlé de bridge ? demanda Melvin Shaw, le vieil acteur à qui était échu le rôle de Polonius, le chambellan d'Hamlet.

— Oui, moi, répondit Mary. Vous jouez ?

— Oui.

— Moi aussi, déclara George.

Une jeune apprentie costumière, Nancy Sealy,

dont les questions intelligentes avaient impressionné Mary à son cours du matin, fut la quatrième.

Sauvée, songea-t-elle en s'installant. Kit ne connaît rien aux cartes. On ne s'intéressait pas tellement au bridge dans les faubourgs de Philadelphie où avait grandi Christopher Douglas.

La partie terminée, George proposa de raccompagner Mary qui accepta de grand cœur, désireuse d'éviter l'expérience de la veille. Kit avait quitté le salon depuis longtemps mais rien ne disait qu'il ne l'attendait pas près de chez elle.

Cependant, l'aurait-elle voulu qu'elle l'aurait difficilement chassé de ses pensées. George ne parlait pas d'autre chose.

— Chris m'intrigue, commença-t-il dès qu'ils furent dehors. Il ne ressemble pas du tout à ce que je m'étais imaginé.

— Non ?

— En fait, je n'étais pas sûr que je le voulais dans ma distribution. Nous nous sommes donné beaucoup de mal pour établir solidement notre réputation ici et je n'avais guère envie de risquer de la gâcher en accédant au caprice d'une star de Hollywood qui tout à coup prétendait jouer Shakespeare.

— Pourquoi l'avoir engagé ?

— Les délais. Après la désertion de Saunders, j'étais plutôt pris de court.

— Vous auriez pu chercher parmi les comédiens de théâtre.

— Evidemment. Mais je n'ai pas pu résister.

— Au charme de la superstar ?

— Non. A sa voix. Je suis retourné voir son dernier film et sa voix a fait tomber mes dernières réticences. Une voix si chaude, si mélodieuse, un tel phrasé... Je crois qu'il est le seul Américain capable de donner vie au texte de Shakespeare.

— A votre place je ne m'inquiéterais pas. Il a déjà joué beaucoup de pièces classiques à l'université.

— Je sais mais le soir de la première, Mary, toute la critique sera là à guetter la moindre défaillance de cette superstar, comme vous dites. Jusqu'à présent c'est plutôt à son physique qu'il doit ses succès.

— Il était bon dans ses films.

— Excellent. Mais les rôles n'étaient pas très difficiles.

— Sans doute pas, en effet. J'ai une bouteille de whisky. Cela vous tente ? proposa Mary lorsqu'ils arrivèrent devant chez elle.

— Avec plaisir.

Les verres remplis, elle reprit :

— Comment se passent les répétitions ?

— Pas mal. Bien, même. Chris ne court pas à l'échec, si c'est ce que vous voulez savoir. Il connaît son affaire. En réalité, c'est un vrai professionnel.

— Vous êtes surpris ?

— Beaucoup. Je m'attendais à un personnage dans le genre de ce qu'on raconte de Margot Chandler : un capricieux. Mais pas du tout. Le plus surprenant, c'est qu'il n'a aucune vanité.

— Dans la banlieue de Philadelphie, le physique ne compte pas. On doit apprendre à se défendre et à faire mieux que les copains. Deux choses seulement sont à l'honneur : la bagarre et le basket. Mais la beauté...

— Le basket ?

— Il a même décroché une bourse pour devenir professionnel. Il était à Penn State. Mais il s'est cassé un pouce et, pendant qu'il ne pouvait plus s'entraîner, il s'est distrait en jouant dans la troupe du collège. Il y a pris goût et a abandonné le basket pour le théâtre.

— Je vois. A propos, vous portez toujours votre alliance ?

— Oui. Légalement nous sommes toujours mariés. De plus, une alliance est une excellente défense pour une femme.

— La moitié des femmes de ce pays donneraient dix ans de leur vie pour épouser Christopher Douglas.

— Disons que j'appartiens à l'autre moitié.

— Il vous aime toujours. Vous devez le savoir. Il ne cesse de vous observer, de vous surveiller, même.

Mary leva les yeux sur George qui, brusquement, se rendit compte qu'il n'avait de sa vie vu un regard aussi parfaitement bleu, sans la moindre nuance de gris ou de vert. Simplement bleu comme un ciel d'été.

— Je sais, répondit Mary. Il me suit tout le temps. Or je ne veux pas de lui. Je ne serais jamais venue à Yarborough si j'avais su qu'il y serait.

— C'est pourquoi vous m'accordez tant d'attention ?

— Oui. J'ai besoin de protection.

— Contre votre mari ?

— Ou... oui. Il est mon mari, c'est vrai, mais nous sommes séparés depuis quatre ans et je lui ai dit que je ne voulais plus jamais vivre avec lui.

S'il veut divorcer, libre à lui. Tout ce que je demande, c'est qu'il me laisse tranquille.

— Je ne crois pas qu'il le fera, Mary. En fait, il me semble qu'il a surtout accepté de jouer *Hamlet* pour avoir une chance de vous revoir.

— Je commence à le croire aussi. J'ai été assez stupide pour lui dire où je passais l'été. C'est en partie ma faute.

— Pourquoi avez-vous peur de lui ? Si vous êtes vraiment sincère, vous n'avez qu'à vous en tenir à votre décision. Chris ne va pas vous enlever de force.

— Peut-être. Mais souvent j'ai l'impression de parler à un mur.

Brusquement elle était horriblement fatiguée.

— Bonsoir, George, dit-elle doucement.

— Bonsoir, Mary. Merci de votre invitation.

Debout sur le seuil elle le regarda s'éloigner. Au moment de rentrer se coucher, elle aperçut une silhouette devant le pavillon voisin. Une silhouette qu'elle ne pouvait méconnaître. Sans doute possible, Kit l'observait. Puérilement, elle lui tira la langue et claqua sa porte.

Si elle en était là, il y avait de quoi s'inquiéter sérieusement de son état mental. Je deviens stupide, songea-t-elle en se mettant au lit.

Chapitre 8

LE LENDEMAIN MARGOT CHANDLER ARRIVA A YARBO-
rough. George avait hâtivement organisé une
réception en son honneur dans le bâtiment principal du collège.

Pour la circonstance Mary, qui ne connaissait
de la vedette que ce qu'en rapportait régulière-
ment la presse et qui ne l'avait vue que dans deux
de ses films, revêtit ce qu'elle avait apporté de
plus élégant : un tailleur en toile de lin blanc, un
chemisier en soie rose indien et des sandales à
talons.

Margot Chandler, comme le promettaient ses
photos, était absolument ravissante ; petite, bien
faite, paraissant beaucoup plus jeune que son
âge, le teint clair, les cheveux d'un blond légèrement cendré, sans une ride, avec un maquillage
discret et une robe noire d'une simplicité étudiée,
elle attirait incontestablement tous les regards.

— Mon Dieu, s'exclama Mary lorsque George

les présenta, jamais personne ne pourra croire que vous êtes la mère d'Hamlet.

— On m'a mariée si jeune ! répondit la star avec un charmant sourire qui révéla deux rangées de perles d'une blancheur éblouissante. De mon côté, ajouta-t-elle, je n'imaginais pas que j'aurais un fils aussi grand !

Kit, effectivement, la dominait d'une bonne tête !

— Chéri, reprit-elle, je voudrais vous présenter mon secrétaire. Il a une telle admiration pour vous ! Il meurt d'impatience de vous rencontrer.

Avec un sourire pour Mary, elle entraîna Kit à l'autre extrémité du salon.

— Margot Chandler telle qu'en elle-même, si je comprends bien, plaisanta Mary lorsque la comédienne se fut éloignée. Brève rencontre, mais fort intéressante.

— Dire que je vais devoir la mettre en scène ! soupira George.

— Chéri, dit Mary en le prenant par le bras et en imitant Margot, seriez-vous assez gentil pour me chercher à boire ?

— Mary, je vous en prie, une me suffit, répliqua George, sans rire. Vous savez qu'elle n'a pas accepté de vivre parmi nous. Trop simple, pour ne pas dire inconfortable, pour cette dame.

— Où va-t-elle loger ?

— A l'hôtel le plus décent du cru : le Stafford Inn. Ce n'est pas un palace, bien sûr, mais pas non plus le taudis qu'elle prétend.

— Et les repas ?

— Ce soir elle nous fera l'honneur de sa présence. Je doute que la cuisine du collège lui convienne, mais j'ai insisté sur l'atmosphère familiale que nous aimons tous.

Dès qu'on posa une assiette devant elle, Margot Chandler sursauta. Elle regarda son poulet, sa purée et ses petits pois d'un air épouvanté et s'écria :

— George chéri, je ne peux pas manger ça. C'est beaucoup trop nourrissant. Et ma ligne ?

— Je suis désolé, Margot. Le cuisinier est plus habitué à nourrir des jeunes gens affamés que des stars délicates.

— Peut-être devrais-je aller bavarder un peu avec lui.

Sans plus attendre, elle se dirigea vers la cuisine d'où elle revint presque aussitôt, un gracieux sourire aux lèvres.

— On va pouvoir vous faire autre chose ? demanda Kit.

— Oui. Le chef est un amour. Il ne parle qu'espagnol, vous savez. Il a compris mon problème.

En effet, le cuisinier en personne apparut, apportant un steak et une salade.

Les remerciements de Margot le firent rougir jusqu'aux cheveux et il affirma qu'il serait enchanté, et même plus, de lui faire tout ce qu'elle pourrait désirer. Margot lui répondit dans un espagnol parfait et il quitta la salle à manger, aussi ému, aussi fier que si Dieu lui avait fait l'honneur de sa visite.

Cet intermède de charme terminé, chacun prit sa fourchette et la conversation alla bon train.

— Je vous admire depuis si longtemps, dit le jeune contestataire de Mary.

Le garçon, jamais en peine de compliments, avait réussi à trouver place à la même table que la vedette.

— Ah oui ? fit Margot, jouant à la perfection l'étonnée timide. Excusez-moi, mais je n'ai pas bien entendu votre nom.

— Eric Lindquist, répondit-il, je joue Fortinbras.

— Parfaitement. Je me souviens maintenant.

Puis ignorant son jeune admirateur, elle se tourna vers Kit :

— Je compte sur vous, Chris chéri, pour me tenir la main et m'aider à affronter cette terrible épreuve. A certains moments je me demande comment j'ai eu l'audace d'accepter de jouer une pièce pareille !

Durant tout le reste du dîner, elle monopolisa l'attention.

Mary parla peu mais ne perdit rien des mimiques de Margot. Au salon, elle se retrouva un instant seule avec elle, tandis que Kit et George étaient allés leur chercher du café.

— Ainsi vous êtes la femme de Chris ? demanda tout à coup Margot, après un long regard sur Mary.

— Oui, répondit laconiquement la jeune femme qui n'aimait pas qu'on la jauge ainsi.

— Mais vous ne vivez pas ensemble ?

— Non.

— Je vois. Vous donnez des cours ici, me semble-t-il.

— En effet.

Comme George et Kit revenaient, Margot leur servit un de ses plus délicieux sourires.

— N'est-ce pas merveilleux, fit-elle, une

femme assez intelligente pour enseigner dans un collège comme celui-ci. Vous devez être tout à fait brillante, Mary.

— Tout à fait, répondit Mary aussi gracieusement que possible.

— Elle a terminé ses études *summa cum laude*, précisa Kit avec un admirable sérieux.

— *Summa cum...* Qu'est-ce que cela signifie ?

— Mention très bien et félicitations du jury, expliqua George.

— Mary, George, intervint Melvin Shaw, avec son inimitable accent britannique, que diriez-vous d'une partie de bridge ?

— Excellente idée, approuva Mary.

Melvin était un excellent joueur, habitué des tournois, lui avait-il avoué la veille. Nancy Sealy était là aussi.

— George ? répéta Melvin.

L'interpellé jeta un coup d'œil à Kit dont Margot faisait toujours le siège et hésita. Le regard de Kit était assez éloquent. Rester seul avec sa mère de théâtre ne l'amusait apparemment pas.

— Il n'y a personne d'autre pour faire le quatrième ? suggéra George.

— Personne capable de tenir son rang, affirma Melvin.

— Dans ce cas...

Tout en manipulant ses cartes, Mary, instinctivement, surveillait son mari. Avec Margot si frêle et si blonde, ils formaient un couple surprenant mais assez extraordinaire.

Frêle, Margot ? Extérieurement peut-être, mais intérieurement probablement volontaire, froide, impitoyable. Bien qu'elle semblât plus proche de trente ans que de quarante, son assurance trahissait une longue expérience et l'habitude de tenir les hommes en son pouvoir.

Kit lui-même paraissait vaincu. Son air maussade du début de la soirée avait fait place à un sourire permanent, à moins qu'il ne rît aux éclats.

Peu après, ils quittèrent le salon.

— Mary! s'exclama Melvin, exaspéré autant qu'un Anglais pouvait l'être et le laisser voir. Vous avez coupé sur votre partenaire!

— Excusez-moi. J'étais distraite.

— Revenez au jeu, je vous en prie.

— Je vais essayer.

Les deux jours suivants, Mary ne vit pour ainsi dire ni Kit ni Margot. A peine si elle rencontra George.

— Elle ne sait même pas son texte, lui dit-il lorsqu'elle le croisa le vendredi. Il faut constamment lui tenir la main. C'est à s'arracher les cheveux!

Carolyn Nash-Ophélie, qui vint s'asseoir près de Mary au bord du lac, le samedi matin, lui confirma qu'il y avait des problèmes.

— Quel poids mort! se plaignit-elle. Elle s'accroche à Chris comme à une bouée et chaque fois que George lui donne une place qui n'est pas exactement au centre du plateau, elle pleure!

— Au moins, ce qu'elle fait, le fait-elle bien?

— Je ne sais pas. Peut-être finira-t-elle par s'en sortir. Chris lui a fait corriger sa voix, trop aiguë et faible. Il a une patience d'ange! Si c'était moi il y a longtemps que je lui aurais administré une bonne fessée.

— Mais vous n'êtes pas un homme, murmura Mary.

— Non. C'est vrai qu'elle est superbement belle.

— Absolument. J'avoue que j'ignorais l'existence de pareilles créatures. Légende hollywoodienne, me disais-je. Elle ne fait pas semblant ; elle appelle vraiment tout le monde « chéri » !

— Vous n'imaginez pas de quoi elle est capable, et sans la moindre gêne ! J'admire énormément Chris... je le trouve merveilleux mais de là à...

— Je sais. A côté d'elle un éléphant semblerait délicat.

Rien de tel qu'un rire complice et une pointe de médisance pour vous détendre. Après sa conversation avec Carolyn, Mary se sentit infiniment mieux, sans qu'il lui soit une seule seconde venu à l'esprit que son antipathie pour la Chandler, comme elle l'appelait, venait de ce que la vedette avait totalement monopolisé Kit.

Le dimanche matin, Mary alla à la messe avant le petit déjeuner.

Simplement vêtue de sa robe chemisier bleu et d'espadrilles, elle se mit au volant. C'était la première fois qu'elle s'aventurait en ville depuis sa désagréable rencontre avec Jason Razzia. Elle regarda soigneusement partout autour d'elle et ne vit aucune silhouette alarmante.

Tout alla bien jusqu'au moment où elle s'arrêta pour acheter les journaux, à sa sortie de l'église. Dans la boutique on servait également du café et des sandwiches. Sa gourmandise fut punie.

Razzia se précipita vers elle.

— Madame Douglas ! s'écria-t-il. Avez-vous pu

faire encore du bateau avec Chris ? Ou est-ce que Margot Chandler l'accapare totalement ?

Mary, sans répondre, alla payer sa note. Mais il ne se découragea pas.

— Elle n'a pas de mari pour le moment. Peut-être est-elle à la recherche d'un homme plus jeune. C'est une manie de nos jours !

Exaspérée, Mary monta dans sa voiture mais, avant qu'elle ait pu fermer la portière, la voix poursuivit :

— Vous avez beau être une femme charmante, Margot a la réputation d'être irrésistible. Prenez garde !

Mary l'aurait volontiers giflé. Elle se consola en claquant sa portière à toute volée comme si les doigts de Razzia y étaient encore accrochés.

Rentrée au collège elle se sentit en sécurité. Elle gagna la salle à manger, prit un café et ouvrit le journal. A la page spectacles. Un gros titre s'y étalait sur deux colonnes : CHRISTOPHER DOUGLAS S'ATTAQUE À « HAMLET » !

« Depuis près de dix ans, lut-elle, la plupart de nos meilleurs spectacles nous viennent de Yarborough. L'an dernier ce fut *L'Ecole de la médisance*, de Sheridan ; l'année précédente ; *Antigone*, de Sophocle, où George Clark fit un emploi fort original et judicieux du chœur.

« Et maintenant, il nous prépare un *Hamlet* avec dans le rôle titre un acteur auquel sans doute personne autre que lui n'aurait songé : Christopher Douglas !

« Hamlet est sans conteste le personnage le plus complexe de toute l'œuvre de Shakespeare et l'acteur qui accepte le rôle doit s'attendre à être comparé aux plus grands : John Gielgud,

Laurence Olivier ou Richard Burton. Le défi est de taille.

« D'abord Christopher Douglas est américain. Or depuis des lustres aucun Américain n'a osé se mesurer à la langue de Shakespeare. D'autre part, il n'est pas monté sur les planches depuis des années car seul le cinéma l'a fait connaître.

« Incroyablement vite et avec un incomparable succès, il faut le reconnaître, il a bâti sa réputation internationale. Mais les personnages qu'il a interprétés n'ont pas grand-chose en commun avec Hamlet.

« A priori on serait tenté de dire que distribuer Christopher Douglas dans Hamlet est pure folie. Ce personnage d'aventurier moderne ne saurait traduire les angoisses du prince de Danemark.

« Et pourtant, si l'on se souvient de sa prestation dans *L'Expérience russe*, on peut tout espérer...

« Sans doute Christopher Douglas estime-t-il que le moment est venu pour lui de s'attaquer aux morceaux de roi. Il n'aurait pas pu choisir plus difficile. Nous applaudissons à son courage. Et nous attendons le résultat final ! »

Mary finissait juste sa lecture lorsque Kit vint la rejoindre.

— Tu as vu le *Times* ? demanda-t-elle.

— Non. Bonjour.

— Excuse-moi. Bonjour. Lis-moi ça.

Pas un instant, elle ne le quitta des yeux.

— Je ne sais pas ce qui t'a amené ici, dit-elle lorsque Kit eut fini, mais tu as pris tous les risques et tu ne passeras pas inaperçu.

— Tu crois ?

— George prétend que, le soir de la première,

la salle sera bourrée de critiques qui viendront pour te voir te ridiculiser! Il semble qu'il n'ait pas tout à fait tort, ajouta-t-elle en pointant un doigt sur le journal.

— Tout ce que raconte Calder — l'auteur du papier — est vrai. Dans mes trois derniers films je n'ai pas fait grand-chose, sinon me montrer. Il n'y avait d'ailleurs rien d'autre à faire.

— Je sais. Pourquoi as-tu accepté de tels rôles? Je te croyais parti pour tourner des scénarios un peu plus consistants.

— Tu ne devines pas?

— Non.

— L'argent, ma chère! L'appât du gain! Je voulais avoir assez d'argent devant moi pour ne plus jamais avoir à me préoccuper de la question. J'ai réussi. Je touche dix pour cent sur les recettes du dernier. De plus, je n'ai pas honte de ces films. Ils sont bien faits, amusants, palpitants sans être violents. Pas très sérieux, je te l'accorde. Mais ils distraient agréablement, ce qui n'est pas négligeable.

— Evidemment. Mais pour faire oublier l'image de toi que tu as créée, ton Hamlet devra être époustouflant. Les critiques ne seront certainement pas enclins à l'indulgence.

— Ma réussite t'intéresse, Mary? Serais-tu inquiète?

— Oui. Il y a si peu de répétitions. Et tu as affaire à des étudiants... ou à Margot.

— Elle s'en tirera très bien. George n'a qu'à la mettre en plein milieu du plateau et elle triomphera.

— Et toi?

90

— Je n'ai pas besoin d'être au centre des projecteurs.

— Kit, tu crois que ça marchera? insista Mary, la gorge soudain nouée.

— J'espère. Je ferai tout ce qu'il faut, en tout cas. Dis-moi, mon succès t'importe donc tant?

— Oui, murmura-t-elle d'une voix à peine audible.

— Puis-je me joindre à vous? demanda George que ni l'un ni l'autre n'avait vu venir.

— Bien sûr, répondit Mary avec un sourire forcé.

Kit ne fut pas aussi accueillant.

— Vous vous êtes levé bien tard, fit-il remarquer.

— C'est dimanche, répondit George avec douceur. Mon jour de repos.

— Pourquoi ne vous occupez-vous pas un peu de Margot, pour une fois?

— Parce que ce n'est pas de moi qu'elle a besoin.

Kit renonça à passer sa mauvaise humeur sur son metteur en scène.

— Que dirais-tu d'une partie de tennis? proposa-t-il à Mary.

— Une partie de tennis? répéta-t-elle, incrédule. Tu ne jouais pas, tu prétendais que c'était un jeu sans intérêt, bon pour les mauviettes!

— Je me défendais comme je pouvais. Je ne voulais pas que tu m'apprennes ni que tu me battes.

— Et maintenant tu penses que tu es le plus fort?

— Non, mais du moins y aura-t-il compétition.

— Sur le court dans une demi-heure. D'accord ?

— Parfait. A plus tard, George, ajouta Kit en se levant.

Lorsqu'il traversa la salle à manger, tout le monde, y compris George et Mary, le regarda s'en aller.

A l'heure dite, en jupe de tennis à plis, un Thermos et sa raquette sous le bras, Mary arriva au rendez-vous. Kit l'attendait.

Aucun des quatre courts n'était libre ; aussi alla-t-elle s'asseoir près de lui.

— Comment joues-tu ?

— Tu verras bien.

— Je n'en peux plus ! C'est fini pour aujourd'hui, annonça Nancy Sealy en s'approchant d'eux. Vous pouvez prendre ma place.

— Merci, dit Mary, qui aussitôt sortit sa raquette de sa housse.

Ils firent des balles pendant une dizaine de minutes puis Kit proposa une vraie partie.

— Tu sers la première.

— D'accord.

Elle glissa une balle de réserve dans la poche de sa jupe et se mit en position.

Mary jouait au tennis depuis l'âge de huit ans. Ses parents étaient membres du club sportif de leur ville et, chaque été, elle passait plusieurs heures par jour sur les courts et les terrains de golf.

Sans être très forte, elle possédait une excellente technique, alliée à beaucoup de rapidité et de régularité.

Elle engagea la balle.

Kit répondit par un coup droit qui envoya la balle au fond du court. Mary s'était un peu trop avancée. Elle la manqua.

Second service. Elle ne se laissa plus surprendre, joua sur le revers de Kit et la balle revint moins fort.

Elle gagna l'échange assez rapidement. Puis, non sans mal car ils se retrouvèrent à égalité trois fois de suite, elle emporta le jeu.

C'était à Kit de servir. Sa première balle s'écrasa au sol avec une telle rapidité que c'est à peine si Mary eut le temps de la voir arriver.

— Bien joué, s'écria-t-elle.

— Elle était bonne ?

— Pour autant que j'aie pu voir, je crois.

— Parfait. Souvent, elle est trop longue.

Le set fut extrêmement disputé. Il leur fallut plus d'une heure pour parvenir à 6-6.

Kit compensait par la force son manque d'expérience. Mary avait mal au poignet à force de rattraper ses véritables boulets de canon.

— On continue pour voir qui gagne ? demanda-t-il.

— On pourrait s'arrêter là. Il y aurait deux vainqueurs !

— Ou deux perdants.

— Quel joueur ! La compétition à tout prix ! D'accord, on continue.

— Non, tu as raison, admit-il avec une docilité inattendue.

— Je meurs de soif, annonça-t-elle alors qu'ils quittaient le court. Une heure en plein soleil, il y a de quoi transpirer. J'ai apporté de l'eau, tu en veux ?

— Tu penses toujours à tout, s'étonna-t-il en acceptant le gobelet qu'elle lui tendait.

— Je joue depuis si longtemps. Si tu perfectionnes ta première balle de service, tu ne feras bientôt plus qu'une bouchée de moi ! C'est un coup terrible.

— Quand il est bon.

— Tu ne le rates pas de beaucoup. Un peu d'entraînement et tout ira bien. Ton revers est à travailler aussi.

— Mmmm...

— J'ai mal au bras. Quelle force !

Mary se versa à boire. Elle sentait le regard de Christopher peser sur elle.

— Ce qu'il nous faut, c'est un bain. Qu'en penses-tu ?

— Du bien.

— On met nos maillots et on y va.

— Entendu.

Elle le suivit allégrement, étouffant en elle une petite voix qui lui répétait qu'elle ne devrait pas passer tant de temps avec lui. Mais au bord du lac il y aurait foule. Que pourrait-il lui arriver ?

Une petite surprise l'attendait.

Lorsqu'elle sortit de son pavillon, Kit l'attendait devant la porte. Outre son maillot de bain, il portait un sweat-shirt datant de ses années de collège.

— Tu l'as encore, s'exclama-t-elle. J'aurais cru, célèbre comme tu l'es, qu'un modéliste t'aurait dessiné tous les vêtements de sport que tu pouvais souhaiter.

— Il est parfait, ce sweat-shirt. Que lui reproches-tu ? Il n'a pas de trous ?

— Non.

Elle lui sourit avec une tendresse qu'elle ne soupçonna même pas.

— En fait, tu n'as pas changé. Les vêtements ne t'ont jamais intéressé.

— Du moment qu'ils sont propres et confortables, je suis satisfait.

— Où allons-nous ? s'étonna-t-elle en constatant qu'ils tournaient le dos à la baignade aménagée pour les étudiants.

— Il y a une petite crique, un peu plus loin, encore sur le territoire du collège. Je l'ai vue hier. Viens.

— Mais Kit, protesta-t-elle, je ne veux pas...

— Pour l'amour du ciel, Mary, cesse de te comporter comme une nonne effarouchée. Viens.

— Et toi, ne sois pas vulgaire !

Elle le suivit bon gré mal gré et ils arrivèrent au bord du lac, dans un lieu parfaitement désert, protégé des regards indiscrets par un bois de pins.

— Que c'est beau !

— Et parfait pour la pêche. Je suis venu ce matin à cinq heures, c'était magnifique.

— Où est le butin ?

— Tu le mangeras au dîner.

— Papa avait vraiment réussi à te convertir pour de bon, dit-elle d'une voix étouffée par la robe cache-maillot qu'elle retirait en même temps qu'elle parlait. Moi, rien au monde ne pourrait me tirer du lit à des heures pareilles !

— Ton père a toujours son bateau ?

— Oui. Tu aimais bien ces expéditions au petit jour, en pleine mer ?

— Enormément.

Kit s'était beaucoup attaché à son beau-père

avec qui il s'entendait parfaitement — sans doute parce que le sien lui avait terriblement manqué.

— On fait la course ? proposa-t-il.

— Si tu veux.

D'un même élan, ils se précipitèrent vers l'eau, où ils plongèrent presque simultanément. Deux têtes émergèrent au même instant et s'écrièrent en chœur :

— C'est glacé !

Quelques brasses et ils n'avaient plus pied. Mary regarda autour d'elle : l'endroit était idyllique. On aurait pu se croire à des milles de toute civilisation, si les cris des étudiants qui jouaient au volley ou se baignaient n'étaient parvenus jusqu'à eux.

Ils nagèrent une dizaine de minutes puis, d'un commun accord, regagnèrent le rivage.

Mary se précipita sur sa serviette ; et, tandis que Kit, le regard perdu au loin, se séchait lui aussi, elle en profita pour l'observer tout à son aise. Jamais ces épaules, cette taille, cette peau cuivrée de soleil ne la laisseraient indifférente.

Il étala sa serviette sur l'herbe sous un arbre et s'allongea.

— Parle-moi d'Hamlet, dit-il.

— Que veux-tu savoir ?

Assise à côté de lui, elle se démêlait consciencieusement les cheveux.

— Je trouve le personnage si difficile à cerner ! Il change sans cesse. Tantôt il est plein de fougue et prêt à venger son père, et la minute d'après il est mort de peur et incapable d'agir.

— C'est tout le problème d'Hamlet. Il ne s'agit pas d'une tragédie classique où le désir de vengeance conduit toute l'intrigue. Là, le conflit est dans le cœur même du héros. Pas autour de lui.

— Il a envie de tuer son oncle, non sans raisons, d'ailleurs : le monstre a assassiné son père, lui a volé son trône et a séduit sa mère adorée. A aucun moment Hamlet ne doute de son bon droit. Oeil pour œil, dent pour dent. Ce n'est donc pas le respect d'une loi quelconque qui le retient, ni l'esprit de charité. Il ne cesse de répéter qu'il va venger son père et, chaque fois qu'il en a l'occasion, il s'arrange pour la perdre.

— Tu n'en as pas discuté avec George ?

— Si. L'interprétation de Laurence Olivier lui paraît la bonne. Ce sont les sentiments d'Hamlet pour sa mère qui le retiennent. Mais il me semble qu'il y a autre chose.

— Je crois qu'il ne sait pas lui-même pourquoi il ne peut agir. Les causes ne sont pas simples. Peut-être même sont-elles inexplicables et ne s'agit-il que d'une incertitude maladive et d'une incapacité congénitale à décider.

— C'est le premier monologue qui te fait dire ça ?

Ô Dieu !
Combien me semble abject, plat, fatigant,
Sans objet tout l'ordinaire de cette vie !

— Exactement, répondit-elle après un instant de réflexion. Dans un tel monde, à quoi sert l'action ? Elle ne ressuscitera pas son père, elle ne rendra pas sa vertu à sa mère, ni son innocence à Ophélie. Et pourtant Hamlet sait qu'il doit agir, ne serait-ce que parce qu'il l'a promis à son père.

Mais son combat intérieur doit être horriblement éprouvant.

— Le personnage est parfois franchement odieux.

— Et aussi à deux doigts de la folie. Mais, malgré tout, demeurent une beauté et une bonté qui rendent le personnage infiniment touchant.

— On comprend pourquoi il est réputé presque injouable.

— Le rôle suprême pour un acteur ! Tu as peur, Kit ?

— Oui, parce que pour réussir, je vais devoir me dévoiler comme je ne l'ai jamais fait. Comme tu le dis, l'expérience me fait peur.

Il semblait pourtant si calme, allongé là, les yeux fermés.

Mary lui avait affirmé qu'il n'avait pas changé. Mais c'était faux. Son visage était plus marqué. Il avait vieilli, comme s'il avait souffert, ce qui ne laissait pas de la surprendre infiniment.

— Viens près de moi, dit-il.

Le cœur de Mary s'emballa.

Chapitre 9

— NON, PROTESTA-T-ELLE EN LUI TOURNANT LE DOS. SI c'est ainsi, je m'en vais.

— Ah oui ?

Avant qu'elle n'ait compris ce qui lui arrivait, non seulement elle était allongée mais il était couché près d'elle, l'empêchait de bouger et l'embrassait avec passion.

Au contact de ses lèvres, toutes les défenses de Mary fondirent comme neige au soleil. Jamais elle ne sut à quel moment exactement elle lui rendit son baiser.

— Mary, murmura-t-il, je t'aime. Tu le sais, j'espère.

— Tu crois ? Moi, je ne sais plus ce que je sais ou ne sais pas.

Il l'embrassa dans le cou.

— Viens avec moi en Californie.

Ne plus le regarder. Ne plus l'écouter. Elle ferma les yeux.

— Non. Ce n'est pas un univers pour moi. Je ne m'y ferai jamais.

— Tu peux y transporter le tien, dit-il en se redressant.

Brusquement elle se sentit abandonnée, frustrée.

— Qu'entends-tu par là ?

— Il y a des universités en Californie, et non des moindres. Tu pourrais enseigner dans l'une d'elles.

— Enseigner ?

— Oui. Ou écrire. Ce n'est pas ce que tu préfères ? Ton livre est remarquable, je ne t'apprends rien.

— Tu l'as lu ?

— Tu as bien vu mes films.

— Oui.

Comment des yeux aussi noirs pouvaient-ils être aussi tendres ? A son tour Mary s'assit.

— Tu veux que je continue à enseigner ?

— Bien sûr ! J'ai toujours souhaité que tu te réalises pleinement. Jamais je ne t'empêcherai de travailler si tu en as envie. J'étais si malheureux lorsque... tu avais envisagé d'abandonner.

Il avait soigneusement évité de parler du bébé. Elle non plus ne voulait pas aborder ce douloureux sujet.

— C'est si difficile, Kit, de faire carrière chacun de son côté. Il vient toujours un moment où l'un des deux doit lâcher du lest.

Ses cheveux commençaient à sécher, agités par une brise légère. Une mèche se plaqua sur sa joue, que Kit écarta tendrement.

— Je peux venir m'installer dans l'Est, si tu veux.

— Sérieusement ?

— Sérieusement. Pas dans le Massachusetts, c'est trop loin de New York, mais dans le Connecticut, si tu tiens absolument à la Nouvelle-Angleterre.

— Peut-être...

— Promets-moi d'y réfléchir.

— Je... oui...

— Brave petite ! dit-il avec un sourire charmeur. Il est temps d'aller déjeuner. Viens.

Il se leva et lui tendit la main.

— Tu as le nez tout rouge.

— Quelle gourde ! J'ai ma crème dans mon sac et j'ai oublié d'en mettre ! Le soleil californien ne me vaudra rien, Kit.

— Je te ferai construire une véranda. Viens.

— Pourquoi es-tu si pressé ? Tu as si faim ?

— Oui. Mais ce n'est pas tellement mon estomac qui crie famine. Si nous restons encore ici, tu ne vas pas tarder à voir de quel genre est mon appétit.

Elle ne se le fit pas dire deux fois, se leva d'un bond, ramassa son sac et le suivit.

Le soleil avait vraiment fait des ravages sur tout ce que Mary l'avait laissé brûler. Elle se couvrit de pommade et décida de ne plus sortir de chez elle de tout l'après-midi.

Après un sandwich rapidement avalé, elle s'installa sous son auvent pour lire les journaux. Mais elle avait bien du mal à se concentrer sur les problèmes du Moyen-Orient ou de l'Amérique latine. Les siens lui paraissaient infiniment plus urgents.

Elle avait promis à Kit de réfléchir à sa

proposition. Comment avait-elle pu en arriver là ? Il fallait réellement qu'elle ait perdu la tête.

Naturellement elle ne croyait pas une seconde à la volonté de Christopher Douglas de venir habiter dans le Connecticut. Son métier avait bien trop d'importance pour lui. Et son métier, il ne pouvait guère l'exercer qu'en Californie. Il avait suggéré cette idée pour lui faire plaisir et la prendre au dépourvu. Malheureusement, il avait parfaitement réussi.

Son cœur était terriblement partagé : d'un côté elle avait besoin de lui, rêvait de le retrouver ; et, de l'autre, elle avait affreusement peur. Peur de lui et de l'avenir. Aurait-elle le courage de courir le risque une seconde fois ?

Vers quatre heures, George vint la voir et elle l'invita à prendre un verre. Il resta une grande heure puis Mary se prépara pour le dîner.

Kit ne s'était pas montré de l'après-midi. Il n'était pas à la salle à manger. Margot Chandler non plus.

— Où sont Chris et Margot ? demanda innocemment Carolyn Nash à George.

La question brûlait les lèvres de Mary mais elle n'aurait jamais osé la poser elle-même.

— Chris est allé à l'hôtel de notre star pour la faire travailler. Je suppose qu'ils vont y dîner.

— Mais qui est exactement le metteur en scène ? interrogea Alfred Block presque grossièrement. Depuis que la reine des abeilles a fait son apparition, on a le sentiment que Chris prend la tête des opérations.

— Très vrai, insista Eric Lindquist. Je ne voulais rien dire mais...

— Vous êtes incroyables ! s'indigna Carolyn.

Ce n'est pas la faute de Chris si cette sangsue s'accroche à lui ! Il ne pense qu'au succès du spectacle.

Mary, stupéfaite, n'aurait jamais imaginé qu'il y avait tant de dissensions dans la troupe. Elle jeta furtivement un coup d'œil à George qui ne paraissait pas le moins du monde troublé. Comment avec un visage aussi anguleux et l'air aussi grave, réussissait-il à être l'homme le plus calme de la terre ?

— Je suis le metteur en scène, répondit-il, personne d'autre. Mais j'ai affaire à une dame extrêmement anxieuse. Une première apparition sur scène, ce n'est pas rien. Elle s'en sortira très bien si on parvient à lui donner confiance en elle. Christ est le plus doué d'entre nous pour ce genre d'exercice. Je lui suis tout à fait reconnaissant de ses efforts. Mais, pour ce qui se passe sur le plateau, je reste seul maître à bord. Qu'on se le dise et qu'on ne l'oublie pas, surtout !

Mary ne cacha pas son admiration à laquelle George répondit par un petit clin d'œil complice. Pourtant elle ne retrouva pas son appétit : la pensée de Kit et Margot en tête à tête lui nouait l'estomac.

Après le repas, il y eut la désormais traditionnelle partie de bridge. A dix heures Mary déclara forfait. Elle avait une forte migraine. Melvin tenta bien de la retenir, sans succès.

— Vous voulez que je vous raccompagne ? proposa George.

— Merci, non, pas ce soir. Je ne me sens vraiment pas bien. A demain.

— C'est probablement l'orage qui menace,

suggéra Nancy Sealy. C'est incroyable ce que les changements de temps peuvent nous affecter.

— Il va y avoir de l'orage ?

— C'est ce que j'ai entendu annoncer à la radio tout à l'heure.

— Oh! Je vois... murmura Mary. Eh bien, bonsoir, tout le monde.

Elle rentra rapidement chez elle, pressée de se mettre à l'abri. Il n'y avait pas de lumière chez Kit et sa voiture n'était pas là.

Même au lit, elle se sentait toujours aussi nerveuse et tendue. L'orage approchait, elle le devinait. Or elle en avait une horreur maladive.

A quatorze ans, alors qu'elle rentrait avec une amie d'une partie de tennis, elles avaient été surprises en pleine campagne par un violent orage. Les éclairs striaient le ciel et le tonnerre grondait. Terrifiée, Mary s'était souvenue d'un conseil de son père : ne pas rester debout, se coucher et attendre.

— Allonge-toi par terre, avait-elle hurlé à son amie.

— Non, c'est trop mouillé. Je préfère courir.

— Pas moi, avait répondu Mary qui avait une foi absolue dans les avis de son père.

Le ciel s'était embrasé, la foudre était tombée... sur l'amie de Mary qui était morte sous ses yeux.

Depuis ce jour un seul éclair mettait la jeune femme en transe.

En fait l'orage n'éclata réellement que vers minuit. De sourds roulements emplissaient l'obscurité que trouaient des éclairs de plus en plus brillants et de plus en plus rapprochés.

Mary s'enroula dans une couverture, sortit du

lit et alla se blottir dans un coin de sa chambre, les yeux fermés et claquant des dents.

Elle entendit appeler son nom. Sa réponse se perdit dans un grondement qui couvrit le son de sa voix. Dès que Kit pénétra dans la pièce éclairée par la seule lampe de chevet, il la vit.

— Ma pauvre chérie, dit-il doucement, tu n'as rien à craindre. Si la foudre tombe ce sera sur un arbre, pas sur ton pavillon.

— Je... sais... mais ça... ne m'empêche pas... d'avoir... peur.

Pleine de gratitude, éperdue, elle se jeta dans ses bras. Silencieusement il la serra contre lui, sachant d'expérience que les mots étaient parfaitement inutiles et que seule sa présence pouvait la rassurer.

L'orage dura une vingtaine de minutes durant lesquelles ils restèrent assis par terre, l'un contre l'autre. Finalement le tonnerre s'éloigna, les éclairs s'espacèrent. Seule la pluie martelait encore le toit et tambourinait sur les vitres.

— C'est fini, annonça doucement Kit.

— Oui.

Elle se détendit un peu, essaya même de sourire.

— Je suis stupide, je le sais, mais je n'y peux rien.

— Ne t'inquiète pas.

Délicatement, il lui massait le dos, tête contre tête.

— Tu t'attendais bien à me trouver malade de terreur.

— C'est pour cela que je suis venu.

Ce n'était plus de peur qu'elle tremblait maintenant. La main de Kit allait et venait toujours. Elle poussa un profond soupir.

— Mary ?

Lorsqu'elle releva la tête, il prit ses lèvres. Tendrement, passionnément, presque goulûment. Elle s'abandonna contre son épaule, lui passa les bras autour du cou.

Une main glissa sous son pyjama.

— Mary, murmura Kit, mon amour, ma princesse, ma rose d'Irlande...

Les mots tendres, le goût de ses lèvres, ses caresses... toute la résistance de Mary était vaincue.

— Viens au lit.

Elle ne protesta pas. Il se leva et l'emporta. Tranquillement il se déshabilla puis, assis près d'elle sur le lit, il lui déboutonna son pyjama... le plus naturellement du monde.

Mary, elle, était infiniment moins calme. Elle haletait, frémissait chaque fois que les doigts de Kit l'effleuraient, et donnait enfin libre cours au feu qui couvait en elle depuis qu'elle l'avait revu. Ou depuis qu'elle l'avait chassé ?

Jamais son corps n'avait oublié la douceur de ses caresses, la fougue de ses baisers, son insatiable ardeur, le bonheur qu'il lui donnait, l'ivresse de s'offrir à lui.

Il n'existait personne au monde qui pût ainsi la transporter au septième ciel, rien qui soit aussi merveilleusement délicieux.

— Kit ! appela-t-elle d'une voix sourde.

L'attente avait été trop longue, les mois, les années innombrables ! Comment avait-elle survécu ?

Lorsque leurs deux corps se retrouvèrent, Mary

frémit de la tête aux pieds, puis à l'abri des bras de Kit, les ongles enfoncés dans son dos, elle s'envola, avec lui, vers des sommets indicibles pour n'en redescendre que comblée.

— Mary, ma douce, mon amour, murmura Kit, encore à la recherche de sa respiration.

Longtemps après, il songea à s'écarter.

— Je t'étouffe !

— Pas du tout, protesta-t-elle.

— Dors, ma princesse.

Il lui ferma les yeux de deux petits baisers.

Mary se blottit contre lui et, cette nuit-là, elle n'attendit pas longtemps le sommeil.

Le lendemain matin, de bonne heure, le chant des oiseaux la réveilla. Kit la regardait, les sourcils légèrement froncés.

Il avait profité de la situation la veille et sans doute se demandait-il comment Mary réagirait à son réveil.

S'il lui était encore resté deux sous de bon sens, elle l'aurait renvoyé. Mais le bon sens ne semblait pas son fort ces derniers temps.

— Je savais, dit-elle simplement, que je serais comme le roi Knut.

— C'est-à-dire ?

— Tu connais ce souverain qui croyait qu'un discours suffirait à arrêter les raz de marée ?

— Je t'adore, s'exclama Kit en éclatant de rire. Qui d'autre que toi penserait au roi Knut en un pareil moment !

— La comparaison s'impose, malheureusement.

— Pas malheureusement du tout ! Quel enfer d'être près de toi, de te désirer... J'ai revécu

107

l'horreur des mois précédant notre mariage... en pire.

Il la prit dans ses bras.

— Vouloir comme un fou, et ne pas avoir... Et ne vouloir que ce qui est à moi, après tout !

Il la dévora de baisers puis, doucement, posa sa tête contre son buste.

— Ce n'est jamais aussi bon qu'avec toi. Jamais.

— Je crains de ne pouvoir te retourner le compliment, répliqua-t-elle avec une pointe d'aigreur. Je n'ai pas ton expérience.

— Dieu merci !

— Tu devrais t'en aller. Je ne voudrais pas qu'on te voie sortir d'ici.

— Pourquoi ? Nous sommes mariés.

— Oui, mais...

Inquiet, il la dévisagea.

— Je croyais t'avoir reconquise.

— Je...

Inutile. En face de lui elle était incapable de se défendre, de résister.

— Sans doute, reconnut-elle.

— Alors je me moque qu'on me voie ou pas.

Il commença par un long baiser et ne partit qu'une heure plus tard.

Ce matin-là, le cours de Mary portait sur *Hamlet* et durant son exposé, l'image de Kit s'imposa constamment à son esprit.

Qu'avait-il voulu dire, exactement, lorsqu'il lui avait expliqué que pour réussir son Hamlet il devrait se livrer totalement ?

L'heure n'était pas à la rêverie. Il ne fallait

surtout pas que quiconque devine que leur couple s'était reformé.

— Je t'en prie, avait-elle dit à Kit, j'ai besoin d'un peu de temps. Je ne pourrais pas supporter les regards si les gens savaient.

— S'il ne tenait qu'à moi, je m'installerais tout bonnement ici, avait-il répondu. Tu es ma femme, non ?

— Oui. Mais je ne suis pas prête. Je t'en supplie, Kit, avait-elle répété avec une insistance si désespérée qu'il avait fini par céder.

Pourquoi était-elle si réticente à l'idée de répandre la nouvelle de leur réconciliation ? Parce qu'elle n'était peut-être pas encore totalement convaincue qu'elle était scellée à jamais ?

Elle était sûre de ses sentiments pour lui, mais elle n'avait qu'à demi confiance dans ceux de Kit. Il la voulait et il était très doué pour obtenir ce qu'il désirait. Mais cela durerait-il ou le passé se répéterait-il ?

Elle devrait se résoudre à aller en Californie. Même déplaisante, cette conclusion s'imposait. C'était là que travaillait Kit, c'était là qu'elle devait être ! Elle ne voulait le quitter que le plus rarement possible : le souvenir de leur précédente et unique séparation était encore trop cuisant.

Il lui faudrait aussi songer à se prémunir contre une éventuelle grossesse. Non qu'elle n'ait pas envie d'un enfant de Kit, mais elle ignorait quelle serait sa réaction. Un accord tacite les empêchait d'aborder la question.

Elle aurait également à donner sa démission. Curieusement, elle estimait que ce n'était pas le plus urgent.

En fait elle avait la sensation de ne plus être tout à fait dans la vie, d'avoir été réveillée en plein rêve. La seule réalité était la visite de Kit, chaque soir.

— C'est très bizarre d'entendre les gens parler de Christopher Douglas, lui dit-elle le samedi matin à l'aube. Ce Christopher dont ils discutent à perdre haleine, c'est mon mari, l'homme qui néglige de se raser avant de venir me rejoindre...

— Mon pauvre amour. Ce soir je te jure que j'y penserai.

Mary l'embrassa tendrement et reprit le fil de son discours.

— Je n'arrive pas à faire un tout de ce mari-là et de la vedette de cinéma. Etrange, je t'assure. Etrange !

— Pas tellement. A tous je ne montre que l'extérieur, mais toi tu me vois tel qu'en moi-même. C'est une des choses que j'aime en toi : tu lis directement dans le cœur des autres. Impossible de tricher, de feindre en face de toi !

Un long moment, elle demeura songeuse.

— Voilà un des plus beaux compliments qu'on m'ait jamais faits, dit-elle enfin.

— Hmmm...

— Le jour se lève, j'entends les oiseaux.

— Le jour ! répéta Kit tout ensommeillé. C'était le rossignol et non l'alouette qui a percé ton craintif tympan !

— Kit ! Cesse de me citer *Roméo et Juliette* et va-t'en.

— Non.

— C'était l'alouette messagère de l'aube, et non le rossignol, enchaîna Mary presque malgré elle.

110

— Rabat-joie, c'est ta dernière spécialité ? plaisanta-t-il en s'étirant et en se levant enfin. Jusqu'à quand vas-tu ainsi m'obliger à me glisser subrepticement dans ta chambre et à en sortir comme un voleur ? J'ai passé l'âge de ce genre de sport.

— Jusqu'au soir de la première. Tu me trouves stupide ? Moi aussi, mais je n'y peux rien.

— Que d'illogisme dans une tête aussi bien faite !

— Ce sont des choses qui arrivent.

— Mary...

Il s'assit sur le bord du lit et la regarda gravement.

— Il faut que nous parlions sérieusement. Allons dîner dehors ce soir.

— Bonne idée.

— Je retiens une table. Je ne sais pas encore où mais je trouverai. Et pas sous mon nom, je le jure.

— Ton absence ne posera pas de problème ? Que vas-tu dire à George ?

— Que j'emmène ma femme dîner au restaurant.

Simple et évident, reconnut-elle intérieurement.

Il enfila son jean et disparut.

Chapitre 10

CE SOIR-LÀ MARY PRIT TOUT SON TEMPS POUR SE PRÉPA-
rer. Elle avait passé son après-midi enfermée à la
bibliothèque, loin des regards indiscrets ; elle
avait tellement de mal à se comporter avec
indifférence envers Kit qu'elle redoutait par-
dessus tout que quelqu'un ne découvre leur
secret.

Elle se fit une mise en plis, se maquilla très
légèrement et enfila son tailleur de toile blanche.

A sept heures précises, elle était fin prête
lorsqu'un coup de klaxon retentit devant sa
porte.

— Quelle honte ! s'écria-t-elle en montant en
voiture. Tu aurais pu entrer au lieu de me
sonner !

— Quand j'étais gosse je rêvais d'aller chercher ma petite amie dans une belle auto de sport
et de klaxonner pour que tout le quartier soit au

courant. Malheureusement je n'étais pas moto-risé. Manque de moyens !

— Mon pauvre chéri ! Si vraiment tu as besoin de te passer tes caprices d'enfant, je ne vais pas t'en empêcher.

— Tu veux une fessée ?

— Non, pas vraiment. Où allons-nous ?

— Dans une auberge que m'a indiquée George : Les Ormes. Il prétend qu'on y mange bien et que la clientèle est purement locale.

— En général, les habitants de la Nouvelle-Angleterre sont plutôt discrets.

C'était la première fois que Mary sortait avec Kit depuis qu'il était une vedette, et elle avait un peu peur d'être le point de mire.

— M. Michaels, annonça Kit en entrant au restaurant. J'ai retenu une table pour deux.

L'hôtesse ouvrit des yeux comme des portes cochères, s'étrangla presque mais ne fit aucune remarque.

— Par... par ici, dit-elle simplement.

Par bonheur, elle les avait installés dans un coin retiré de la vaste salle mais il avait fallu traverser la pièce et, au fur et à mesure que les dîneurs reconnaissaient Christopher Douglas, tous les regards convergeaient vers eux.

Tandis que son mari étudiait le menu, Mary essaya de le regarder avec les yeux des inconnus qui les entouraient. Elle vit comme tout un chacun un bel homme, très grand, très brun, aux cheveux de jais, aux traits réguliers, vêtu d'un élégant costume gris clair. Mais sans doute tout le monde n'avait-il pas le cœur qui battait la chamade rien qu'à poser les yeux sur lui. Heureusement !

— Je crois bien, dit-elle avec un sourire, que c'est la première fois que je te vois en costume. Tu es superbe.

— C'est vrai, je n'en avais pas quand nous vivions ensemble. Tu veux un apéritif ? demanda-t-il en voyant s'approcher le garçon.

— Un Martini vodka, avec plaisir.

— Et moi un whisky sour, s'il vous plaît.

Quand le garçon revint avec les boissons, il déposa le whisky citronné et sucré devant Mary et le Martini devant Kit.

Ils échangèrent d'abord un coup d'œil complice, puis leurs verres.

— C'est très embarrassant d'avoir une femme alcoolique, fit tristement remarquer Kit.

— Si tu n'aimes que les boissons pour enfants de chœur, je n'y peux rien.

— Le whisky, même avec du citron et du sirop, n'est pas une boisson si innocente. De toute façon, moi je n'ai pas été élevé dans une famille d'Américains portés sur l'alcool.

— Je sais. Ce que tu préfères c'est le lait.

— Ne va jamais raconter une chose pareille en public, malheureuse ! Et mon image de marque, le dur à l'estomac de béton, qu'en fais-tu ?

— Je jure de défendre tes secrets, fût-ce au prix de ma vie !

— Promis ?

— Promis.

Tendrement, il lui prit la main ; malgré elle, Mary regarda autour d'elle ; la moitié des clients les observait. Elle retira sa main et rougit.

— Ignore-les. Ils se conduisent très bien. Dans cinq minutes ils nous auront oubliés.

— Je suppose que tu as l'habitude.

— On ne s'y fait jamais tout à fait mais, que veux-tu, il faut s'en accommoder. Tiens, par exemple...

Il ne put aller plus loin. Un monsieur s'approchait avec un papier et un crayon.

— Monsieur Douglas, dit-il timidement, auriez-vous la gentillesse de me signer un autographe ? Pas pour moi... pour ma fille... elle adore vos films.

— Je suis désolé, répondit Kit, impassible, mais je ne donne jamais de signatures en dehors de mes lieux de travail.

— Oh ! pardon, murmura l'intrus qui se retira fort gêné.

— Tu n'es pas vraiment courtois, fit remarquer Mary.

— Si j'avais accepté, nous n'aurions plus une minute de tranquillité. Tout le restaurant aurait défilé.

— Tu as sans doute raison.

— On t'a appris à être polie. Moi pas, Dieu merci. Je ne crois pas du tout aux vertus de la politesse.

— Espérons qu'un jour je finirai par pouvoir suivre ton exemple.

La commande passée et le premier plat servi, Mary estima qu'il était temps de passer aux questions sérieuses.

— J'ai décidé d'aller vivre avec toi en Californie, annonça-t-elle.

— Vraiment ?

Kit rayonnait littéralement.

— Oui. Je pourrai sans doute obtenir sans difficulté mes entrées à la bibliothèque de l'université de Los Angeles. Pour l'enseignement, il faut que je réfléchisse encore. Je préférerais avoir une certaine liberté dans mes emplois du temps pour mieux m'adapter aux tiens.

— Ecoute, Mary, répondit-il avec une gravité inaccoutumée, je veux que tu mènes ta vie comme tu l'entends sans sacrifier quoi que ce soit pour moi. Si tu veux être professeur, il n'y a aucune raison que tu ne le sois pas. Tu as fait assez d'études pour y parvenir.

— Pas exactement. Je me suis plutôt orientée vers la recherche. Mais, comme il faut bien gagner sa vie, j'ai pris un poste de maître-assistant.

— Ce travail te plaisait, non ?

— Pas particulièrement.

— Les questions d'argent ne se posent plus, ma chérie. Si tu préfères écrire, ne te gêne pas. Tu auras une maison, une cuisinière, une femme de chambre, une secrétaire... enfin tout ce dont tu auras besoin.

— Tu as tout ce monde-là chez toi ?

— Non. Moi, j'ai seulement une sorte de gouvernante qui me mitonne de délicieux petits repas. Nous allons devoir déménager. Tu détesterais la maison dans laquelle je vis.

— Pourquoi ?

— Parce qu'elle est épouvantable. Je l'ai achetée à une starlette... toute meublée. Je ferme les yeux quand je rentre chez moi. Je l'ai prise parce qu'elle est isolée et que la vue est superbe.

— Pourquoi ne pas la transformer ?

— Je ne crois pas que cela en vaille la peine.

— Depuis quand l'as-tu ?

— Trois ans.

— Trois ans que tu vis dans un endroit que tu

n'aimes pas et tu n'as rien fait pour changer quoi que ce soit ?

— J'y dors, j'y gare ma voiture, j'y mange de temps à autre. Mais ce n'est pas ma maison. Je ne peux pas avoir de maison si tu n'es pas là.

— Mon pauvre chéri ! Je t'en installerai une vraie, tu verras !

— J'espère bien. Es-tu sûre que tu ne regretteras pas ton poste à l'université ? Les contacts avec tous ces savants et ces professeurs ne te manqueront pas ?

— Je ne crois pas. Je préférerais avoir affaire à des gens un peu plus jeunes, moins... pesants.

— Même Leonard Fergusson ? Il n'y a pas plus connu dans son domaine. C'est un patron en or, non ?

— Il se fait vieux. Il a des idées précises et définitives sur tout et n'en changerait pour rien au monde. A croire qu'il ne sait pas dans quel siècle il vit !

— Comment un monsieur aussi borné a-t-il pu t'embaucher ?

— Pas assez de femmes dans son secteur. Nous n'étions que deux. Peux-tu croire une chose pareille, de nos jours ?

— Tu ne rencontreras pas ce genre de problème en Californie. C'était bon, non ? demandat-il en posant sa fourchette sur son assiette vide.

— Délicieux, reconnut Mary qui n'en était pas même arrivée à la moitié de son steak. Parle-moi de la Californie.

— C'est souvent très beau. On pourrait chercher une maison en bordure d'océan. Tu adorerais.

— Follement.

— Et avoir un bateau, comme ton père. On pourrait vivre très agréablement, tu sais. Tout le monde n'est pas drogué, alcoolique, inconsistant ou... vedette.

— Contrairement à ce que prétend ma mère. Mais pourrions-nous préserver un peu notre intimité ?

— L'argent permet presque tout, Mary, y compris de sauvegarder son intimité.

— Tu crois ?

Elle n'en était pas très sûre. Toute la soirée elle avait été gênée par les regards tournés vers eux. La vie publique l'effrayait.

Pressée d'en finir avec la curiosité des gens, Mary passa directement du steak au café, sans dessert.

— Terminé ? demanda Kit.

— Oui.

En voiture, elle se sentit enfin suffisamment à l'aise pour parler librement.

— Que penses-tu de Margot Chandler ?

— Ce n'est pas une méchante fille. J'ai vu pire.

— C'est-à-dire ?

— Elle a plutôt un bon fond, ne cherche pas à nuire délibérément, et je la crois assez généreuse. Et toi, comment la trouves-tu ?

— Je n'arrive pas à me faire une opinion. Elle est si brillante et en même temps si sèche qu'on ne sait pas ce qu'elle pense ni ce qu'elle ressent. C'est la femme la moins naturelle que j'aie jamais vue.

— Sans doute, et uniquement intéressée par les biens matériels de ce monde. Comme beaucoup de gens d'Hollywood elle estime que la fin justifie les moyens — et quelle fin ! —, qu'on peut

118

tout se permettre pour avoir gain de cause, profiter de tout et de tous...

— Mais tu prétends qu'elle a un bon fond.

— Oui, mais elle s'est laissé corrompre. Le succès, c'est affreusement dangereux.

— Tu sembles bien amer.

— Pas vraiment. Mais le monde d'Hollywood n'est pas toujours réjouissant.

Quand ils arrivèrent au collège, il était encore tôt.

— Une petite promenade ? proposa Kit.

— Pourquoi pas ? Laisse-moi le temps de me changer.

Mary adorait marcher autant que Kit. A l'époque où ils vivaient ensemble, pauvres et sans voiture, ils avaient fait des kilomètres le soir ou pendant les week-ends.

Elle ressortit de son bungalow en jean et tennis, pour trouver son mari dans une tenue de même style.

— J'ai repéré un joli petit chemin sous les pins, dit-il, mais il fait malheureusement trop sombre maintenant pour que je te le montre ; nous le prendrons une autre fois.

— Tu sais que tu as raté ta vocation. Tu aurais dû être explorateur.

— J'aurais certainement beaucoup aimé. A propos d'exploration, j'aimerais assez tourner un film sur Livingstone.

— Livingstone ? Un personnage complexe. Un saint ? un fou égocentrique ? ou les deux ?

— Une bonne histoire devrait laisser planer le doute et montrer tous les aspects de sa personnalité.

— Tu as un scénario ?

— Non, pas encore. Je voudrais fonder ma propre société de production. En empruntant, évidemment, car je ne veux pas toucher à ce que j'ai investi. Mais il me reste quelques millions pour m'amuser.

— Quelques millions ! Je n'arrive pas à y croire. Quand je pense à tous ces hamburgers que nous avons mangés !

— Oui... Cette année-là aura été la plus heureuse de ma vie !

— Je sais. Moi aussi.

Les échos de chansons à la mode entonnées par les étudiants leur parvenaient du salon.

— Tu veux y aller ? demanda Mary.

— Non.

Kit fit la grimace.

— Je pensais que me retrouver parmi tous ces jeunes gens me rappellerait mes années d'études et que j'en serais tout ragaillardi. Rajeuni même. Au contraire, j'ai l'impression d'avoir cent ans de plus qu'eux !

— Tu n'es pas encore tout à fait un vieillard, me semble-t-il, mais je te comprends.

Après s'être reposés quelques minutes au bord du lac, ils rentrèrent se coucher.

Comme toujours Mary se réveilla aux premières lueurs de l'aube. Kit dormait paisiblement à ses côtés.

Sa seule présence suffisait à faire perdre à Mary sa belle assurance, si chèrement acquise au cours des dernieres années. Dès que Kit était près d'elle, il n'y avait plus trace du Dr O'Connor, à la tête froide et au savoir immense.

Elle avait brûlé tous ses navires, la veille, en lui offrant d'aller vivre avec lui en Californie. Il ne lui restait plus qu'à envoyer sa lettre de démission à l'université et tout serait dit. Son départ aggraverait la misogynie de Leonard Fergusson : décidément on ne pouvait pas compter sur les femmes ! Elle ne serait pas difficile à remplacer : la moitié du corps enseignant vendrait son âme au diable pour un poste à l'université de la Nouvelle-Angleterre !

Pourquoi Mary remettait-elle constamment au lendemain l'envoi de cette lettre ? C'était que — bien qu'adorant Kit — reprendre la vie commune avec lui posait d'infinis problèmes. Elle n'avait qu'à demi confiance en lui. Au fond, elle ne lui avait pas vraiment pardonné. Jamais encore ils n'avaient reparlé de leur bébé et, tant que le sujet n'aurait pas été abordé, rien de solide ne pourrait être construit ; elle avait pansé ses plaies, mais le souvenir de ce drame était encore douloureux.

— Bonjour ! murmura une voix ensommeillée à son oreille.

Elle se retourna et sourit ; un sourire un peu triste que Kit ne parut pas remarquer.

— Une des choses qui m'ont le plus manqué pendant toutes ces années, c'est ta chaleur dans le lit. Les draps sont tout froids quand on est seul.

— S'il ne tient qu'à moi, jamais plus tu ne dormiras seule, ma chérie.

Un profond soupir échappa à la jeune femme qui se réfugia au creux de l'épaule de son mari.

— Que de mélancolie ! murmura-t-il.

Sans insister sur les raisons de cette sombre humeur, il la prit doucement dans ses bras et chercha seulement à la rassurer avec toute sa tendresse.

Mary se détendit et ferma les yeux.

— Difficile de rester calme, dit-il au bout d'un moment, quand je te sens nue près de moi.

— Ah oui ? Je suis si bien !

— Vraiment, ma douce ?

Délicate, sa main entama une ronde délicieuse sur le dos de Mary.

— Ne fais pas ça, Kit !

— Non ? Quoi alors ?

Il savait exactement ce qui l'enflammait et lui faisait perdre la tête. Mais, pour une étrange et incompréhensible raison, elle n'avait pas envie de caresses ce matin. Elle s'écarta un peu ; Kit se pencha sur elle et embrassa sa poitrine.

Immobile sous ses baisers, elle luttait contre le désir qui, malgré elle, montait inexorablement. Non, elle ne voulait pas céder !

Mais résister au pouvoir de Kit dépassait ses forces, surtout lorsqu'elle croisait son regard débordant d'amour et brûlant de passion. Elle hésita encore un moment puis s'abandonna.

Dans l'embrasement de ses sens, toute réticence disparut. Toutes ses pensées se brouillèrent. Plus de réflexion, seulement des sensations. Et quelles sensations !

L'incendie ravageait le corps de Mary, elle ne s'appartenait plus, livrée à la volonté de Kit. Elle était sa chose, son esclave, sa victime adorée et honorée. Diaboliquement il l'amena au bord du vertige, et ensemble ils sombrèrent dans le gouffre d'ivresse où les avaient menés leurs sens éblouis. Voyage enivrant, d'où ils revinrent comblés et rompus.

Plus fort que jamais Kit serrait sa femme contre lui, comme s'il avait senti qu'elle lui échappait. Il voulait la retenir, par la force si besoin était.

— Il est tard, dit-elle après un long moment de silence.

— Oui.

Il desserra son étreinte.

— Combien de temps encore allons-nous jouer à ce petit jeu, Mary ?

— Laisse-moi prévenir mes parents avant d'ébruiter la nouvelle.

— Tu les appelleras aujourd'hui ?

— Promis.

Soudain elle avait honte de son comportement puéril. Après tout, comme ne cessait de le répéter Kit, ils étaient mariés. Elle se conduisait comme une sotte.

— Mon pauvre chéri, dit-elle en sautant à bas du lit, je ne suis vraiment pas très raisonnable. Je te jure que je leur téléphonerai aujourd'hui.

— Je te parais peut-être possessif et autoritaire, mais j'en ai assez de te voir entourée d'hommes sans pouvoir clamer que tu es à moi.

— Tu exagères, mais je t'aime quand même.

Elle enfila rapidement sa robe de chambre et l'accompagna jusqu'au seuil.

Ils s'embrassaient tendrement avant de se quitter lorsqu'un flash troua la pénombre du petit matin.

Tendu, Kit s'écarta et, l'œil meurtrier, regarda autour d'eux.

Jason Razzia, encore lui, les observait, appareil photo en main.

Fou de rage, Kit jura entre ses dents et, avec la rapidité d'une panthère, se précipita vers l'intrus.

Jason Razzia battit en retraite vers le bois mais pas assez vite. Kit le rattrapa, lui arracha son appareil et le jeta contre un arbre où il s'écrasa.

— Vous ne pouvez pas... hurla le photographe, horrifié.

— Je vais me gêner ! Si vous ne décampez pas à la seconde, votre jolie tête subira le même sort !

Pour la première fois depuis son enfance, Razzia eut peur. Physiquement peur. Le regard de Kit disait assez qu'il ne plaisantait pas.

— Cessez de poursuivre ma femme. Si je vous retrouve dans le coin, je vous tue. Compris ?

— Com... compris... Je... je m'en... vais.

Dès que Kit le lâcha, le malheureux décampa à toutes jambes. Lentement, Kit se retourna ; Mary était toujours sur le seuil, tremblante. Il ramassa les débris de l'appareil photo et revint vers elle. Instinctivement, elle recula.

— Il fallait que l'incident arrive devant toi ! dit-il sans cacher sa contrariété. N'importe quelle femme au monde se serait régalée de ce spectacle. Pas toi.

Peu à peu sa colère se calmait mais ce qu'il avait montré de sa nature violente terrifiait encore Mary.

— Rentrons, dit-il.

— Non.

Elle recula encore d'un pas.

— Non, Kit, nous faisons fausse route. Je ne pourrai pas supporter des photographes en train de m'épier jour et nuit ! C'est horrible.

— Tu n'es pas sérieuse. Cet accroc de rien du tout ne remet pas en cause ce qu'il y a entre nous.

— Si.

— Tu dis cela parce que tu es bouleversée.

— Je le suis, c'est vrai.

Elle tremblait toujours, incapable de reprendre le contrôle d'elle-même.

— Mais je suis on ne peut plus sincère. Je ne peux pas reprendre notre vie commune. Je ne peux pas !

— Je ne vais pas te supplier.

— Je ne te le demande pas.

— Si c'est ton dernier mot... je m'incline.

— Kit, je t'en prie, va-t'en, cria-t-elle d'une voix noyée de larmes. Va-t'en !

Kit parti, elle se précipita chez elle où elle s'écroula sur son canapé. Elle y resta prostrée un grand moment avant de se souvenir que c'était dimanche et qu'elle devait aller à la messe.

Elle prit sa douche, s'habilla, monta en voiture comme une somnambule. De même, à l'église, elle se leva, s'agenouilla, récita des prières.

Après la communion, un peu apaisée, elle se recueillit. Mon Dieu, suppliait-elle, aidez-moi. Qu'ai-je fait ? Où avais-je la tête ?

Ce n'était pas vrai ! Ce ne pouvait pas être vrai. Elle n'avait pas renvoyé Kit seulement parce qu'un photographe les avait surpris ! Cette horrible scène n'avait été que le prétexte, pas la cause profonde de sa décision.

L'assistance se leva une dernière fois et quitta l'église. Pas Mary. Elle avait trop besoin d'y voir clair. Sa réaction du matin avait ses racines loin dans le passé. Elle aimait son mari, certes, mais il y avait tout un aspect de sa personnalité qu'elle refusait. Qu'elle ne comprenait pas. Quoi qu'il en dise, il n'avait pas besoin d'elle. Il était l'être le plus indépendant, le plus capable de se suffire à lui-même qu'elle ait jamais rencontré. Si quelqu'un se mettait en travers de sa route, il l'écartait avec autant de brutalité qu'il avait écarté le photographe et cassé son appareil.

Elle leva les yeux sur la statue de la Vierge à l'enfant qui dominait l'autel. A la vue de cette image solennelle de la maternité, elle comprit qu'elle n'avait jamais pardonné à Kit de lui avoir suggéré de renoncer à leur bébé. Et lorsque l'enfant était mort, elle avait eu l'impression que c'était exactement ce que Kit avait toujours souhaité. Elle n'avait pas oublié et n'oublierait jamais. Voila pourquoi elle avait chassé Kit, en réalite.

Elle retourna tristement au collège et s'enferma dans la bibliothèque tout l'après-midi.

Le soir, elle espérait que Kit ne se montrerait pas. Hélas ! Dès qu'elle pénétra dans le salon, elle le vit. Il ne lui accorda pas un regard ; il ne vint pas dîner à la même table qu'elle et après le repas, les choses ne s'arrangèrent pas.

Aux yeux des témoins, ils avaient la même attitude d'indifférence polie que la semaine passee. Mais d'abord ç'avait été une comédie. Maintenant ils ne jouaient plus.

— Vous nous avez manqué hier soir, Chris, lui dit Carolyn Nash.

— Mary et moi sommes allés dîner en ville, répondit-il avec une froideur qui pétrifia la jeune femme.

Tout le monde était au courant, bien sûr. Leur absence simultanée avait abondamment nourri la conversation.

— Vous vous êtes réconciliés ? interrogea Eric

Lindquist qui ne reculait jamais devant une indiscrétion.

— En fait, précisa Kit en regardant Mary, nous voulions discuter de notre divorce.

Le toit de la maison lui serait tombé sur la tête que Mary n'aurait pas été plus choquée. Le regard de Kit était si froid, si dur ! Elle se passa la main sur le front, relevant une mèche inexistante. Tout le monde avait les yeux braqués sur elle.

— Il fallait bien un jour ou l'autre régler cette situation étrange, finit-elle par dire.

Elle se leva pour se chercher du café mais elle tremblait tellement qu'elle dut abandonner sa tasse.

— Que diriez-vous d'un petit bridge ? proposa-t-elle à Melvin Shaw.

Toute la soirée elle réussit à jouer sans se souvenir d'une seule des cartes qui lui passèrent entre les mains !

Chapitre 11

LA PREMIÈRE D'HAMLET AVAIT LIEU LE SAMEDI SUIVANT
et durant toute la semaine les répétitions succé-
dèrent aux répétitions, à un rythme de plus en
plus accéléré.

Pour la plus grande satisfaction de Mary, Kit
passait le plus clair de son temps au théâtre, lui
évitant ainsi de pénibles rencontres. Plusieurs
fois aussi ni lui ni Margot ne dînèrent au collège.

Seul inconvénient de cet emploi du temps
surchargé : Mary était de plus en plus souvent
seule. Or, elle ressentait un urgent besoin de
compagnie. La solitude ne lui valait rien car elle
ne cessait de penser à Kit. Elle avait beau faire,
elle ne parvenait pas à porter son attention sur
autre chose — sauf à la bibliothèque. Ce n'était
pas exactement le genre de séjour qu'elle avait
imaginé, mais du moins aurait-elle progressé
dans ses recherches.

Le mardi, pour la première fois, elle se glissa

après le déjeuner dans la salle de théâtre où elle s'assit au dernier rang. Personne ne remarqua son entrée.

Kit en était à son troisième monologue, le plus célèbre. Carolyn Nash-Ophélie, agenouillée, tournait le dos à Kit.

Mary trouvait la scène étrange, et pas seulement parce que les deux acteurs étaient vêtus de jeans. Il y avait autre chose. Apparemment George éprouva la même impression. Il arrêta la répétition, monta sur le plateau, plaça Carolyn face au public, lui fit quelques recommandations et regagna sa place au pupitre de mise en scène, au troisième rang d'orchestre.

— On reprend, dit-il.

Christopher quitta la scène puis reparut, lentement, tête baissée, et d'une voix retenue quoique parfaitement audible, commença :

Etre ou ne pas être, telle est la question.

Tout ouïe, Mary se laissait bercer par les accents incomparables de cette voix d'or qui, à elle seule, vaudrait le succès de l'acteur.

Hamlet leva les yeux et découvrit Ophélie.

Comment George avait-il réglé cette scène essentielle, où Hamlet repousse définitivement la douce Ophélie et lui conseille — férocement — de se retirer dans un couvent ?

On traite souvent ce tableau avec une certaine violence. Rien de tel ici. La discrétion était évidente, excessive presque.

— Chris, interrompit George, même si tu ne gesticules pas, l'intensité de ton monologue doit être à la limite du supportable. Evidemment je pourrais te demander de jouer la colère, de secouer Ophélie, de casser tout ce qui est autour

129

de toi. Ce serait plus facile. Mais je n'en ai pas envie. D'abord je ne voudrais pas que tu fasses mal à Carolyn...

— Merci, George, vous êtes bien bon ! intervint la jeune comédienne.

— Mais surtout je souhaite qu'on sente bien qu'Hamlet se retient. C'est une bombe prête à exploser... qui n'explose pas. Tu dois vibrer, Chris, inquiéter. Reprends au moment où tu aperçois Ophélie.

Il prononçait les premiers mots lorsque quelqu'un vint s'asseoir près de Mary.

— Qu'en pensez-vous ? demanda Melvin Shaw.

— Et vous ? En tant que spécialiste de Shakespeare, que vous en semble, cette fois ?

— Je ne sais pas trop. Pour être honnête, je n'ai pas sauté de joie en apprenant que Chris avait remplacé Adrian Saunders. J'ai failli rendre mon rôle.

— Pourquoi ne l'avez-vous pas fait ?

— Parce que je déteste rompre un contrat et parce que George a acquis une très grande réputation — justifiée, d'ailleurs. Il respecte l'auteur. A notre époque c'est plutôt rare ! Mais Hamlet n'existe que par le comédien qui le joue.

— Kit m'a l'air bon.

— Il lui faudrait plus de feu. Notez, il a tout ce qu'il faut pour réussir. C'est le seul Américain qui puisse jouer du Shakespeare sans se ridiculiser. Il est intelligent. Mais saura-t-il donner une âme à son personnage ?

— Je crois.

— Ma chère, nous serons fixés samedi.

Il sourit.

— A ce soir, pour notre bridge.

Dès que Melvin l'eut quittée, Mary se retira à son tour.

Pour la plus grande déception de ses partenaires, le soir Mary demanda l'autorisation de ne pas jouer. Elle avait la migraine. Kit et Margot leur avaient fait l'honneur de leur présence à dîner et elle n'avait nulle envie d'endurer plus longtemps pareil supplice.

Elle allait sortir lorsque George la rejoignit.

— Je peux vous raccompagner ?

— Avec plaisir.

— Qu'avez-vous pensé de la répétition ? demanda-t-il alors qu'ils traversaient le bois de pins.

— Vous m'avez vue ? Je n'aurais pas cru.

— J'ai une sorte de sixième sens, lorsqu'il s'agit de vous. Mais revenons à nos moutons. Votre impression ?

— Pendant la demi-heure que j'ai passée dans la salle, ce que j'ai vu m'a paru bon. Vous êtes content ?

— Assez, oui. On y arrive. Alfred m'a surpris très agréablement. C'est un Claudius costaud.

— Tant mieux. Il faut de la force au personnage, sinon il perd tout son sens.

Ils étaient arrivés.

— Vous m'offrez un verre ?

Mary hésita. La phrase de George sur son sixième sens ne lui avait pas échappé et elle ne voulait surtout pas lui donner de vains espoirs. D'un autre côté, sachant qu'elle ne dormirait certainement pas de sitôt, la solitude l'effrayait.

— Bien sûr, répondit-elle avec un sourire. Entrez.

— J'ai trouvé Carolyn très bien, reprit-elle en servant les verres.

— Oui. Elle a une beauté fragile qui sied à merveille à Ophélie et ne manque pas de qualités. Je pense qu'on parlera d'elle.

Un silence s'installa. La gorge sèche, Mary attendait. Jusqu'à présent George et elle avaient réussi à éviter le seul sujet qui les préoccupait réellement l'un et l'autre.

George fit les premiers pas :

— Par contre, je ne sais pas ce que donnera Chris.

— Comment ?

— Ce qu'il fait est bien. On ne peut rien lui reprocher, mais... il manque quelque chose.

— Melvin prétend qu'il n'a pas assez de flamme.

— Pas seulement. J'ai l'impression qu'il a tout en main mais qu'il ne se libère pas. Espérons que je me trompe.

— Nous verrons samedi.

— En effet. Nous attendons trois critiques des chaînes de télévision, deux de magazines et celui du *Times*. En général ils viennent un par un pendant le mois d'août. Cette fois, ils sont pressés de voir.

— Dieu ait pitié de nous.

— Ce n'est pas Dieu qu'il faut implorer. Tout dépend de John Calder, le critique du *Times*. Lui seul décidera de notre destin. S'il aime notre travail nous serons invités à Broadway.

— Autant dire la consécration.

— Oui. Mais assez parlé de la pièce. Je préférerais parler de vous.

— C'est-à-dire ? demanda Mary, déjà sur la défensive.

— Est-il vrai que vous et Chris allez divorcer ?

— Oui.

— Je ne devrais pas m'en réjouir, mais je ne peux m'en empêcher. Vous me rendez complètement fou !

Et, sans prévenir, il l'embrassa. Elle ne bougea pas, mais ne répondit pas non plus.

— Mary ! soupira-t-il en lui caressant la joue.

— Vous savez, murmura Mary tristement, ce n'est pas du tout ce que je souhaitais.

— J'imagine que la chose vous arrive constamment. Non que vous soyez provocante, au contraire. Mais vous êtes un être tout à fait exceptionnel. Tout homme normal doit rêver de vivre près de vous.

— Ce n'est jamais arrivé à personne... sauf à Kit.

— Dont vous allez divorcer.

— Euh... oui.

— Je ne voudrais pas vous importuner, Mary. Mais je souhaite ardemment être autre chose pour vous qu'un ami.

En observant le metteur en scène avec intensité, elle se disait qu'elle l'aimait beaucoup. Il représentait tout à fait le genre d'homme qu'elle pensait épouser lorsqu'elle était jeune.

— Je ne savais pas...

— J'ai cru un moment que vous et Chris vous étiez réconciliés.

— Moi aussi. Je l'aime et je l'aimerai toujours. Mais je ne peux pas vivre avec lui.

— Pourquoi ?

— Pour... des tas de raisons. Malgré tout,

personne d'autre ne m'intéresse. Pas comme lui, en tout cas. Je vous aime beaucoup, George, mais...

Il termina pour elle.

— Comme un ami.

— Oui. C'est d'une banalité navrante !

— J'espère que vous n'allez pas passer le reste de votre vie toute seule simplement parce que votre mariage a mal tourné.

— On se croirait dans *Hamlet* : « Nous ne sommes tous que fieffés coquins. Ne te fie à aucun de nous. Réfugie-toi au couvent ! »

— Ne soyez pas stupide, Mary. Nous sommes au xxe siècle. Pas au temps de la reine Elizabeth Ire ! D'ailleurs Ophélie est une niaise.

— N'est-ce pas ?

— Mary, reprit-il avec plus de gravité que d'ordinaire, Mary, belle Mary, écoutez-moi...

— Non, George, je vous en prie, ne me dites pas ce que je n'ai pas envie d'entendre. Il ne s'agit pas que de mes sentiments pour Kit. Je suis catholique, très pratiquante et très croyante.

— Je n'insiste pas.

Il semblait brusquement très triste.

— Promettez-moi de ne pas me fuir, au moins.

— Promis.

— Je peux être extrêmement patient.

Un baiser sur le front et il était parti.

Le vendredi Mary donna son dernier cours. Elle n'avait donc plus rien à faire à Yarborough. Ses copies, elle pouvait les corriger chez elle et les renvoyer à George.

Elle qui toute la semaine avait attendu impatiemment de pouvoir se sauver, maintenant que le moment était venu, n'en avait plus envie. Simplement parce qu'elle voulait assister à la représentation du lendemain et se rendre compte par elle-même de ce qu'allait faire l'acteur vedette. Le soir, une tension inaccoutumée régnait dans la salle à manger ; Kit, George, Margot, Melvin et Alfred manquaient à l'appel. George avait fait demander des sandwiches.

— Ils travaillent encore sur la scène qui se déroule dans la chambre de Gertrude, expliqua Carolyn Nash à Mary.

— Je ne sais pas comment fait Chris, intervint Frank Moore. Moi, après six ou sept heures de répétition, je suis mort. Lui, il est frais comme un gardon.

— Et d'un calme olympien, renchérit Carolyn.

— John Calder va descendre au même hôtel que Margot, reprit Eric Lindquist après un long silence. D'après George c'est la première fois qu'un critique se déplace le premier soir.

— Si le spectacle va à Broadway, je me demande si on remplacera tous les étudiants, murmura Carolyn.

— Encore faut-il réussir, répliqua Eric. Or nous savons tous de qui cela dépend.

— Je me demande ce qu'il pense en ce moment, dit Frank.

Personne ne demanda de qui il parlait, car tous avaient en tête le même nom.

— Il paraît si tranquille. Pourtant, ajouta Carolyn, il sait bien qu'il est sur la sellette et que sa réputation professionnelle est en jeu. A le voir on ne le devinerait jamais. Il n'a pas de nerfs, ce garçon-là !

Ce n'était pas précisément l'avis de Mary qui

ne se souvenait que trop bien d'autres veilles de première. Plus Kit paraissait impassible, plus il bouillait intérieurement. Elle ne put plus avaler une seule bouchée.

La journée du samedi s'étira interminablement. Même les chansons élisabéthaines ne réussirent pas à captiver Mary.

Exceptionnellement, un repas fut servi à cinq heures de l'après-midi. Tout le monde y assistait. Kit, assis à la même table que Mary, se montrait égal à lui-même : il fit rire Carolyn, flatta outrageusement Margot jusqu'à ce qu'elle retrouve le sourire, anima la conversation, comme si de rien n'était. Mais il ne mangea pour ainsi dire rien. Mary fut-elle la seule à s'en apercevoir ?

Ils avaient presque terminé lorsque Carolyn remarqua, comme la veille :

— Franchement, Chris, je crois que par un hasard assez miraculeux, on a oublié de vous doter d'un système nerveux.

— C'est une grâce exceptionnelle, dit Mary qui jusque-là n'avait pratiquement pas prononcé un mot.

Kit la regarda et à mi-voix, elle lui souhaita bonne chance. Il ne répondit pas mais fit signe qu'il avait compris.

On se sépara pour finir de se préparer. Une heure et demie encore à attendre ! Mary languissait. Même en traînant le plus possible, il faudrait quand même trouver quelque chose à faire. De retour dans son bungalow, elle tâta d'un magazine, d'un livre, de quelques copies. Rien ne retint son attention.

Finalement, elle enfila une robe de cotonnade

framboise — corsage plissé et jupe droite —, sortit son collier de perles et ses boucles d'oreilles assorties, jeta une veste de piqué blanc sur ses épaules et partit lentement pour le théâtre. Etait-ce la fraîcheur du soir ou l'anxiété qui la faisait ainsi frissonner ?

Sa place avait été réservée au troisième rang. George vint s'asseoir à côté d'elle.

— Ces messieurs sont tous là, murmura-t-il. John Calder, c'est celui qui a les cheveux gris, devant nous.

Les lumières baissèrent peu à peu. Mary ferma un instant les yeux et adressa une fervente prière au ciel. Quand elle les rouvrit, le rideau se levait.

— Qui va là ? prononça d'une voix claire Mark Ellis, un de ses étudiants qui jouait le rôle d'un soldat.

Le spectacle était commencé.

Mary écouta attentivement la première scène. Le spectre imaginé par George — ombre portée et voix enregistrée — lui sembla très réussi. La scène se vida. Trompettes. La cour apparut en cortège, autrement dit : Alfred Block, le roi ; Margot Chandler, la reine ; Melvin Shaw, Polonius ; Frank Moore, Laertes ; Carolyn Nash, Ophélie ; et dans un coin, tout de noir vêtu, Kit-Hamlet.

Le roi parlait le premier. Mary suivit les vers de Shakespeare mais toute son attention — et elle n'était pas la seule dans son cas — se concentrait sur Kit.

Enfin vint la phrase du roi :

... Mais à présent, cousin Hamlet, mon fils...

Bien que Kit ne fît pas un geste, ne levât pas les

yeux, un courant électrique sembla le parcourir tout entier.

Il lança sa première réplique avec une grande amertume et une rage contenue.

Mary entendit George souffler, à croire qu'il n'avait plus respiré depuis l'entrée de Kit sur le plateau. Au fil du premier acte, il parut se détendre et reprendre confiance.

— Il tient son personnage, dit-il à Mary. Il ne m'a jamais donné cela aux répétitions.

Au premier entracte, Mary se promena dans le hall, à l'affût des réflexions du public. Dans l'ensemble on s'accordait à trouver Kit remarquable. Une dame s'exclama même :

— Cette voix ! Je crois qu'il pourrait me lire l'annuaire, je serais encore transportée !

Tout de suite après la reprise, venait le grand monologue « Etre ou ne pas être ».

C'est alors que Kit livra toute sa mesure. Incroyablement maître de lui, à la fois furieux, écœuré, douloureux, incertain, faible, inquiétant et atrocement seul, il irradiait une telle émotion que l'assistance en resta clouée à ses sièges. On n'entendait plus un souffle, plus un murmure ! Seulement la voix exceptionnelle que Kit prêtait à Hamlet cherchant un sens à sa vie et à sa mort.

Quant à la scène dans la chambre de Gertrude, si inlassablement travaillée par George, elle était saisissante par le contraste entre Hamlet, noble et hautain, grandi par sa juste colère, et Gertrude, ravissante, sensuelle, frêle, gémissante et totalement superficielle. Comme l'avait prédit Kit, et à la grande surprise de Mary, Margot Chandler était parfaite.

Au second entracte, le public, encore sous le

choc, se montra infiniment moins bavard et chacun regagna sa place bien avant que les lumières ne s'éteignent.

La fête n'était pas terminée. Les deux derniers actes confirmèrent les promesses des trois premiers.

Par instants, Mary avait l'impression de reconnaître en Hamlet les vrais traits de caractère de son mari ; par exemple, lorsqu'il sauta dans la tombe d'Ophélie à la poursuite de Laertes, frère de la défunte, elle crut revoir la scène de la semaine précédente, la querelle avec le photographe.

Le tragique duel de la fin, entre Hamlet et Laertes, constitua le point d'orgue de la soirée. A croire que personne dans la salle ne connaissait l'argument et, comme Hamlet, ignorait que l'épée de son adversaire était empoisonnée, tant l'atmosphère était tendue. L'émotion atteignit son comble lorsque Hamlet prend conscience qu'il ne s'agit pas d'une joute entre deux champions destinée à distraire le roi et la reine, mais bel et bien d'un duel à mort !

On n'entendait plus que le cliquetis des armes et leurs respirations haletantes !

Au moment où Hamlet découvre que le poison qui vient de tuer sa mère lui était en fait destiné, l'infamie lui arrache un cri d'animal blessé à mort, plus désespéré par la trahison que par l'horreur de son tragique destin.

Le rideau tomba dans un dernier roulement de tambour. Pétrifiés, abasourdis, les spectateurs observèrent quelques secondes de silence avant d'éclater en applaudissements. Mary avait les larmes aux yeux.

Une première ovation retentit lorsque Margot Chandler et Carolyn Nash saluèrent mais ce fut un véritable déferlement de cris, de sifflets, de claquements de mains et de pieds lorsque apparut Kit.

Bouleversée, ruisselante de larmes, Mary n'eut pas le réflexe de compter les innombrables rappels.

Elle se tourna vers George qui rayonnait positivement et, de sa place, parlait à Kit :

— Je tremblais, je n'étais pas sûr que tu y arriverais. Mais tu as gagné ! Tu es le meilleur Hamlet que j'aie jamais vu !

— C'est vous qui l'avez dirigé, hasarda Mary.

— Oh non ! Ce qu'il a fait ce soir, personne ne le lui a soufflé. C'est son œuvre, à lui seul. Le gredin ! Il n'a rien voulu me montrer pendant les répétitions. Il va m'entendre ! Je vais dans les coulisses. Vous m'accompagnez ?

— Pas maintenant.

Elle s'essuya les yeux et, comme tout le monde, fit la queue pour quitter le théâtre.

Chapitre 12

RENTRÉE CHEZ ELLE, MARY NE SE COUCHA PAS. ELLE arpenta longuement la chambre et le salon, tâchant d'y voir un peu clair.

La représentation lui avait ouvert les yeux. Pour la première fois elle avait découvert le vrai Kit. Elle comprenait enfin ce qu'il avait voulu dire lorsqu'il avait affirmé que pour réussir un tel rôle il allait devoir se livrer totalement. Pour quelqu'un d'aussi secret que lui, la performance n'était pas mince.

Jamais elle n'avait supposé que Kit eût réellement besoin d'elle ou fût victime de la moindre faiblesse. Solide comme un roc il semblait, solide comme un roc elle le croyait ! Où était la perspicacité dont il lui avait fait compliment quelques jours avant !

Elle prenait peu à peu conscience qu'en fait elle n'avait pas grand-chose à lui envier en matière d'infidélité. Certes, il l'avait abandonnée au pire moment mais en retour elle ne lui avait accordé aucun crédit et ne lui avait laissé aucune chance de s'expliquer. En l'écartant de sa vie, sans doute l'avait-elle profondément blessé, autant sans doute qu'Hamlet l'avait été par Ophélie.

Dire qu'elle prétendait l'aimer ! La honte la fit rougir. Elle avait eu si peur de souffrir qu'elle n'avait pas une seconde songé au mal qu'elle faisait. Pauvre Kit ! Il méritait mieux.

Ses camarades et ses admirateurs le retiendraient probablement encore une bonne heure et elle ne voulait pas le voir au milieu de la foule. Mais il fallait absolument qu'elle lui parle le soir même.

Elle alla chez lui et attendit.

Il revint de méchante humeur : la lumière allumée l'avait averti d'une présence qu'il ne souhaitait pas.

— Ce n'est que moi, dit-elle du fond de son canapé.

— Mary !

Il paraissait surpris, sur ses gardes.

— Que fais-tu ici ? demanda-t-il en se laissant choir dans un fauteuil.

Il semblait épuisé. Maintenant qu'il était en face d'elle, Mary ne savait plus par où commencer. Elle observa un long silence, puis se jeta à l'eau :

— Je suis venue te dire que, si tu veux encore de moi, je suis prête. Mais si tu me renvoies, je ne te blâmerai pas.

Il ferma les yeux, mâchoires serrées.

— C'est vrai, cette fois ? Je crois que je ne pourrais pas supporter que tu changes encore d'avis.

142

— Mon chéri, murmura-t-elle sans pouvoir retenir ses larmes, je suis navrée. J'ai été monstrueuse. Pourtant je t'aime tant ! Je t'en supplie, crois-moi !

Elle ne sut jamais qui en prit l'initiative, mais elle se retrouva sur ses genoux, blottie contre lui, le visage au creux de son épaule. Elle pleurait toujours.

— J'avais peur de toi, peur de t'aimer. Tu m'avais fait si mal !

— Je sais... Mary... J'étais si malheureux pour le bébé... si malheureux, ma chérie.

Ce n'était plus des larmes mais de véritables sanglots. Elle avait l'impression qu'un poids qui depuis des années l'empêchait de respirer librement se dissolvait petit à petit.

— Je t'en ai tellement voulu !

— Je sais, répéta-t-il tristement. A la seconde où j'ai eu ta mère au téléphone, j'ai compris que j'avais fait la plus grosse bêtise de ma vie. Te négliger ! Quel imbécile ! Je n'ai pas pensé à autre chose pendant le voyage.

— Mais pourquoi, Kit ? Pourquoi ne m'as-tu pas appelée ? Pourquoi as-tu disparu ?

— C'était impardonnable. Je le sais... maintenant. J'étais comme possédé, Mary. J'ai oublié tout ce qui n'était pas ma carrière... même toi. C'était ma seule chance... et j'ai fait feu des quatre fers. Tout m'était bon pour réussir, y compris Jessica Corbet. Je n'ai pas eu d'aventure avec elle mais je n'ai pas fait taire les mauvaises langues. J'étais fou.

— Ta seule chance ? Que veux-tu dire ?

— Que, si après *L'Expérience russe*, je ne

signais pas immédiatement un autre film dans de bonnes conditions, j'abandonnais.

— Pourquoi ?

— Parce que j'allais être père et qu'il n'était pas question que mon enfant soit élevé comme je l'avais été. Je voulais lui assurer une sécurité matérielle honnête. Et je ne voulais pas non plus que tu renonces à tout ce pour quoi tu étais si douée et que tu aimais tant, parce que nous n'aurions pas les moyens de nous offrir une baby-sitter. J'ai une maîtrise de maths... j'aurais pu trouver du travail dans l'informatique.

— L'informatique, répéta Mary avec un air de profond étonnement. Pourquoi n'as-tu rien dit ?

— Parce que j'étais convaincu que, si je me jetais corps et biens dans l'aventure cinématographique, je réussirais. C'était vrai mais j'y ai perdu l'essentiel : mon fils et toi.

Mary respecta le silence qui suivit.

— Où repose-t-il maintenant ? murmura-t-il enfin.

La pensée de l'avoir écarté de ce moment crucial, aussi, serra le cœur de Mary.

— Près de mes grands-parents. Au cimetière de l'église Saint-Thomas. Je t'emmènerai, si tu veux.

— J'aimerais bien.

— Je m'en veux, Kit, tu sais.

— Non. Tu n'étais pas en état d'entendre mes explications. Je m'en suis rendu compte quand je t'ai vue. Tu voulais que je m'en aille, je suis parti. Quand j'ai estimé que tu devais aller mieux, je t'ai écrit. Deux fois, je t'ai expliqué, juste ce que je viens de te dire. Tu n'as pas répondu.

— J'ai déchiré les lettres sans les lire.

— Je comprends...

— Je t'en voulais tant! Les Irlandais ont la rancune tenace. Je suis vraiment un monstre. Je me demande comment tu peux encore vouloir de moi.

— C'est vrai, tu n'es pas gentille, répondit-il avec un sourire douloureux. Mais tu es honnête, intelligente, belle et passionnée. Tu es comme un roc au milieu de sables mouvants. Près de toi, on se sent en sécurité.

— Je n'ai jamais cru que tu avais réellement besoin de moi, dit-elle en lui prenant le visage à deux mains. Pas comme moi, en tout cas.

— Tu t'es très bien débrouillée sans moi. Tu as une famille, un travail.

— Et un cœur aux trois quarts mort.

— Je connais. Pendant toutes ces années je me suis senti amputé, amoindri. Je ne suis entier que lorsque tu es là.

— Dire que nous devons nos retrouvailles à cet horrible magazine !

— Quel magazine, ma douce ?

— *Personality.* Sans je ne sais quel journaliste qui a découvert que nous étions mariés et qui a fait publier ma photo en première page, tu ne serais jamais venu me voir. Et tu n'aurais jamais su que je travaillerais à Yarborough.

— C'est vrai.

— Tu es venu, toi aussi, parce que tu savais que j'y serais ?

— Oui.

— La coïncidence était trop énorme pour être seulement le fruit du hasard.

— En fait, j'ai appelé mon agent juste après ma visite à l'université.

Kit parlait lentement, guettant la réaction de Mary.

— Je lui ai demandé de me trouver un rôle, n'importe lequel. J'acceptais aussi bien de remplacer l'un des étudiants. J'ai eu de la chance qu'Adrian Saunders se désiste.

Elle s'écarta un peu de lui et le dévisagea, décontenancée.

— C'est inouï! Moi qui pensais que tu avais seulement profité de l'occasion.

— Non.

Rassuré par la bonne humeur de Mary, il ajouta :

— J'ai un autre aveu à te faire.

— Lequel ?

— C'est moi qui ai renseigné la rédaction de *Personality*.

— Toi ?

Bouche bée, elle ne trouvait rien à répondre de plus.

— Je voulais absolument te revoir et je n'avais aucun prétexte pour provoquer notre rencontre. Alors je me suis dit que, si je révélais notre mariage au public, tu bougerais peut-être. Tu n'avais même pas essayé d'obtenir une séparation. Peut-être y avait-il un espoir ?

— Tu ne t'embarrasses pas de scrupules quand tu veux quelque chose.

— Non. C'était un peu risqué, je te l'accorde, mais efficace.

— Pourquoi n'es-tu pas venu tout simplement me voir ?

— Tu m'aurais reçu et écouté si tu m'avais trouvé sur le seuil de ta maison, le chapeau à la main ?

— Non, sans doute pas.

— Ma douce, puis-je te faire une dernière confession ?

— Encore ?

— Je meurs de faim !

— Evidemment, répondit Mary en riant. Tu n'as rien mangé à dîner. J'ai de quoi faire des sandwiches chez moi, viens. Pendant que tu y es, apporte ton pyjama et de quoi te changer.

— Pardon ?

— Tu m'as fort bien entendue. Je ne te mettrai pas dehors demain matin.

— Enfin ! Tu sais, pour un homme tranquille comme moi, ce n'est pas un plaisir, toutes ces allées et venues plus ou moins clandestines.

Tranquille, sûrement pas, songeait Mary pendant que Kit se préparait. Mais peut-être qu'une maison bien à lui, en effet, ne le laisserait pas indifférent. Après tout il avait envisagé d'abandonner la scène pour élever son enfant !

De fil en aiguille, Mary repensa à la colère de Kit lorsqu'elle lui avait annoncé la venue du bébé, et surtout lorsqu'elle avait envisagé d'arrêter ses études. Colère qui l'avait bouleversée. Pas un instant elle ne s'était rendu compte que c'était là le témoignage de son immense et généreux amour, de son profond désir qu'elle se réalise complètement. Depuis, il n'avait pas changé. L'inquiétude qu'il avait exprimée quand elle lui avait expliqué qu'elle songeait à abandonner l'enseignement pour le suivre en Californie le prouvait assez.

Dès qu'ils furent dans son pavillon à elle, elle lui prépara un sandwich et lui versa un verre de jus de pomme.

— Tu es incroyable, dit Kit avec un soupir d'aise, et merveilleuse! Tu as toujours sous la main ce dont on a besoin!

Elle le laissa manger en paix mais la dernière bouchée avalée, elle annonça qu'elle ne tenait plus sur ses jambes.

— Tu vas à la salle de bains le premier et moi je range un peu.

Ce soir-là, la tête à peine sur l'oreiller, ils s'endormirent comme des souches.

Le soleil inondant la chambre tira Mary du sommeil. Elle se leva tout doucement et alla fermer les rideaux qu'elle avait oublié de tirer le soir précédent. Puis elle se recoucha et sommeilla jusqu'à ce que Kit la réveille d'un baiser.

— Quelle heure est-il?

— Neuf heures et demie. Un vrai scandale! s'écria-t-elle. Tout le monde doit te chercher.

— Laisse les curieux chercher. J'ai mieux à faire.

Délicatement il prit ses lèvres.

— Quelle douceur, murmura-t-il en glissant sa main sous le vêtement de nuit.

Oubliant l'heure, le jour — on était dimanche et Mary était censée aller à la messe —, elle se laissa dévêtir avant de rendre à son mari le plaisir qu'il lui donnait.

Comment avait-elle pu vivre toute une semaine — et à plus forte raison quatre longues années — sans ces bras, sans ces mains, sans cette chaleur, sans ces caresses qui la faisaient frémir au plus profond d'elle-même avant de l'enflammer comme un fétu de paille? Elle se serait sans doute davantage attardée sur cette question si

Kit, emporté lui aussi par son désir, ne s'était fait de plus en plus pressant, de plus en plus audacieux.

Haletante, elle gémit, l'appela, se cambra contre lui.

— Kit ! murmura-t-elle, ne me torture pas, viens.

Leur envol fut immédiat, fulgurant, et les laissa apaisés, à bout de forces, dans les bras l'un de l'autre.

Jamais lassés de se retrouver, de se redécouvrir, ils s'aimèrent longtemps avec tendresse, avec passion, sans retenue.

La faim seule les tira du lit à midi.

— Je fais un saut en ville, annonça Kit, je rapporte du café et des beignets. On peut manger ici. Je prendrai aussi les journaux.

— Que tu le veuilles ou non, je m'habille, espèce de dévergondé !

— Nous avons tant à rattraper, ma chérie.

Il la regarda ranger son pyjama.

— Ce que j'aime chez toi, c'est le raffinement et le luxe émoustillant de ton linge. Des pyjamas de flanelle !

— Quand on vit en Nouvelle-Angleterre, on cherche avant tout à avoir chaud. Et puis je ne vois guère la nécessité des chemises de nuit affriolantes. J'en avais acheté une pour notre voyage de noces. Tu te souviens ? Je n'ai jamais eu le temps de la porter !

— C'est vrai !

Tandis que Kit était sous la douche, Mary remit un peu d'ordre. Il reparut vêtu d'un pantalon de toile et d'une chemise polo rouge et blanc.

— Je ne serai pas long, ne bouge pas.

— Je ne t'accompagne même pas jusque sur le seuil.

— Inutile de courir après les ennuis. A tout à l'heure.

Son absence dura près d'une heure. Mary, résignée, était sur le point de se faire une tartine de beurre de cacahuète lorsque la porte claqua.

— Il était temps, s'écria Mary. Je commençais à me poser des questions.

— J'ai rencontré George, c'est lui qui m'a mis en retard.

— Que dit-il ?

— Il m'a donné le double de l'article de John Calder qui paraîtra demain dans le *Times*. Calder le lui a envoyé avant de partir.

Avidement Mary se saisit du papier et commença à lire :

« Evénement samedi soir à Yarborough : un Hamlet interprété, à une seule exception près, par des Américains ! »

Venaient ensuite des compliments à George pour sa mise en scène « sensible et intelligente », des louanges à Margot Chandler, « Gertrude sans cervelle, sans cœur et sans consistance », à Alfred Block pour son « Claudius plein de force », à Carolyn Nash pour sa « ravissante, émouvante Ophélie », à Frank Moore pour son « Laertes aimable, simple et humain » ; et enfin le clou de l'article : deux feuillets dactylographiés sur l'acteur principal :

« Si l'on avait encore hier des doutes sur le talent de comédien de Christopher Douglas, disait le journaliste, ils sont définitivement levés. » Après une longue analyse de toutes les subtilités d'interprétation de Kit, Calder concluait : « Sans doute le meilleur acteur shakespearien américain que nous ayons jamais eu. »

— Oh ! C'est fantastique ! s'exclama Mary en serrant le papier sur son cœur.

— Pas mal, non ?

— Pas mal ? Fabuleux, tu veux dire ! Et vrai. Tu étais... je ne trouve pas de mots qui conviennent... Mais j'ai pleuré... ce qui ne m'arrive pas souvent au théâtre.

— Tu as pleuré, princesse ? C'est le plus beau compliment que tu puisses me faire. Mais tu vas te fâcher. Je crois que j'ai mangé tous les beignets.

— Non !

Elle fouilla dans le sac en papier et n'en trouva plus qu'un qu'elle s'appropria sans tarder.

— George doit être fou de joie, marmonna-t-elle, la bouche pleine.

— Il est plutôt de bonne humeur, en effet. Il est sûr que, si je le veux, nous pouvons aller à Broadway.

— Tu le veux ?

— Et toi ? Quelques mois à New York ne t'effraient pas ?

— Pas du tout. Je pourrai piller la bibliothèque de l'université de Columbia.

— Dans ce cas, j'accepterai. J'ai besoin d'argent pour un film que j'ai en tête. De plus, on reconnaîtra définitivement mes talents d'acteur.

— Papa pourrait peut-être t'avancer des fonds. Il est toujours à la recherche de placements intéressants.

— On verra. Je suis loin d'avoir étudié tous les aspects de l'affaire.

— A propos de papa, je ferais bien d'appeler à la maison pour prévenir la famille.

— Mel est arrivé ce matin. Lui et George ont convoqué la presse pour trois heures cet après-midi, y compris la télévision. J'ai promis de venir.

— Raison de plus pour téléphoner.

— Tu ne vois pas d'inconvénient à ce que je parle de notre réconciliation ?

— Je serai à tes côtés. Mais d'abord...

Elle fit le numéro, Kit assis près d'elle.

— Bonjour, maman, dit-elle gaiement.

— Mary ! Ma chérie, comment vas-tu ?

— Très bien. Assieds-toi, maman. J'ai une surprise pour toi. Tu es bien installée ?

— Oui.

— Kit et moi repartons de zéro.

— Oh ! Mary ! Je suis si contente ! Si tu savais comme j'ai prié pour vous...

— Vraiment ?

— Ton père aussi. Kit est près de toi ?

— Oui.

— Passe-le-moi.

— Attends. Kit, maman veut te parler.

Il prit l'appareil avec appréhension, sinon avec réticence. La mère de Mary l'avait toujours mis un peu mal à l'aise. Non qu'il ne l'aimât pas, mais elle était si parfaitement bien élevée ! « Chaque fois qu'elle me regarde, avait-il avoué un jour à Mary, j'ai l'impression que j'ai pris ma fourchette à l'envers ! »

Mary n'entendit pas ce que disait sa mère mais à observer Kit, de plus en plus détendu, à voir son sourire, elle comprit que tout allait pour le mieux.

Elle reprit le combiné pour parler à son père.

— Bonjour, papa.

— Je suis si content pour toi, ma chérie.

— Moi aussi. Je ne me rendais pas compte à quel point je souffrais pendant toutes ces années.

— Nous le voyions bien, ta mère et moi. Tu comprends que nous soyons absolument ravis. Je suis certain que tout ira bien cette fois. Vous êtes un couple si merveilleux et si peu ordinaire. Quand peut-on espérer vous voir ?

— Pas avant septembre. Kit joue pendant tout le mois d'août. Il est fantastique.

— Alors c'est nous qui nous dérangerons. Le week-end prochain, d'accord ?

— Bien sûr. A samedi. Au revoir, papa.

— Il ne faudra pas attendre pour leur retenir une chambre, remarqua Kit quand Mary eut raccroché. Il y aura foule en fin de semaine.

— Probablement. A quelle heure ta conférence de presse ?

— Trois heures. Dans une demi-heure ! Mon Dieu ! Comment le temps peut-il passer aussi vite ?

— Si tu ne le sais pas, je vais être très vexée. Comment s'habille-t-on pour une conférence de presse ?

— Moi, j'y vais comme je suis.

— Tu pourrais au moins te raser.

— Si tu y tiens...

— En tout cas, il faut que je me change. Tu as ton rasoir ?

— Non.

— Alors, file et ne reviens que la peau lisse comme celle d'un bébé.

Le salon était bourré à craquer lorsque Mary et Kit firent leur entrée. Georges, qui discutait avec un reporter de la télévision, les aperçut aussitôt. Il ne fut pas le seul, apparemment, car tout le monde se précipita, caméramen, photographes, journalistes.

Mary parut un instant désemparée mais Kit posa un bras protecteur autour de ses épaules.

Ce geste serra le cœur de George. Ainsi, finalement, ils s'étaient retrouvés ! Le metteur en scène n'en était pas tellement surpris, mais il ne s'en réjouissait pas pour autant.

Hélas ! Quel homme pouvait prétendre rivaliser avec Christopher Douglas ?

Il prêta attention au déroulement des questions.

— Oui, répondit Chris, j'irai volontiers à Broadway mais à une condition : qu'on invite aussi tous mes camarades, y compris Carolyn Nash et Frank Moore.

George jeta un coup d'œil aux deux jeunes étudiants, qui rayonnaient littéralement. Encore deux qui allaient adorer Chris !

A son tour Mary répondit avec une grâce et un naturel qui auraient pu laisser croire qu'elle avait tenu des conférences de presse toute sa vie.

— Je ne sais pas, disait-elle, si je continuerai d'enseigner et si oui, où et quand. Tout dépend de l'emploi du temps de mon mari.

A quatre heures et quart, Kit demanda l'autorisation de se retirer. Dès qu'elle fut dehors, Mary poussa un grand soupir de soulagement.

— Je sais, dit Kit. Tu souffres, mais cela n'arrivera pas souvent.

— Pourquoi as-tu accepté aujourd'hui ?

— Pour aider George et le festival.

— Il faut que j'aille à l'église.

— Je t'accompagne.

— Tu n'es pas obligé, tu sais.

— Je sais. Mais j'ai beaucoup réfléchi depuis quatre ans et pas seulement sur mon métier.

— Oh ! Mon chéri, tu me rends si heureuse !

— C'est exactement ce que je cherche : te rendre follement heureuse.

Elle se hissa sur la pointe des pieds, l'embrassa tendrement et murmura :

— Y a-t-il un domaine où Christopher Douglas ne soit pas le plus doué ?

Ce livre de la *Série Coup de foudre* vous a plu. Découvrez les autres séries Duo qui vous enchanteront.

Romance, c'est la série tendre, la série du rêve et du merveilleux. C'est l'émotion, les paysages magnifiques, les sentiments troublants.
Romance, c'est un moment de bonheur.

Série Romance : 4 nouveaux titres par mois.

Désir, la série haute passion, vous propose l'histoire d'une rencontre extraordinaire entre deux êtres brûlants d'amour et de sensualité.
Désir vous fait vivre l'inoubliable.

Série Désir : 6 nouveaux titres par mois.

Harmonie vous entraîne dans les tourbillons d'une aventure pleine de péripéties.
Harmonie, ce sont 224 pages de surprises et d'amour, pour faire durer votre plaisir.

Série Harmonie : 4 nouveaux titres par mois.

Amour vous raconte le destin de couples exceptionnels, unis par un amour profond et déchirés par de soudaines tempêtes.
Amour vous passionnera, *Amour* vous étonnera.

Série Amour : 4 nouveaux titres par mois.

Série Coup de foudre : 4 nouveaux titres par mois.

Duo Série Coup de foudre n° 5

NINA COOMBS

Le charme du cavalier

Fine, jolie, presque fragile, Maggie Ryan n'a
rien de l'excellent vétérinaire qu'elle est pourtant.

Voilà pourquoi Bart Dutton, l'impérieux
propriétaire du ranch Rocking D, doute qu'elle
puisse remplir sa fonction auprès des chevaux.
Or Maggie est énergique, compétente, et décidée
à exercer son métier. Qu'importe l'hostilité de Bart
et celle de sa trop belle amie Laina.
Maggie ne veut pas penser au trouble qui,
malgré elle, envahit son cœur.

Série Coup de foudre

Duo Série Coup de foudre n° 6

STEPHANIE RICHARDS

Une nuit dans l'île

Gary Logan est de retour! Dans le cœur de Liz, c'est la tempête, l'affolement.

Depuis quatre ans, depuis cette nuit merveilleuse passée dans la petite île où ils s'étaient retrouvés, elle essaie d'oublier cet homme au charme trouble qui l'a quittée.

Hélas! Ses rêves sont toujours pleins de lui, de ses regards de velours, de ses gestes trop séduisants. Où va-t-elle trouver la force d'affronter ce revenant qui la bouleverse?

Série Coup de foudre

Duo Série Coup de foudre n° 8

LESLIE MORGAN

Baisers de soie

Quand Alexandra Howard accepte de travailler
comme monteuse au film de Ian Fletcher, elle sait
ce qui l'attend. Tout le monde l'a prévenue:
Ian est plein de talent, capricieux, charmeur,
et les femmes ne lui résistent pas.

Peu importe. Elle saura garder la tête froide.
Du moins en est-elle persuadée jusqu'au moment
où il l'invite dans sa superbe maison de Londres.
Le cœur d'Alexandra s'emballe, elle éprouve des
sentiments qu'elle n'avait encore jamais connus.

Hélas! La douleur est proche. Ian n'est-il pas
un séducteur, pour qui toutes les femmes
se valent? Sur quelle pente dangereuse Alexandra
est-elle en train de glisser?

Série Coup de foudre

Achevé d'imprimer sur les presses de l'Imprimerie Bussière
à Saint-Amand-Montrond (Cher)
le 24 mai 1985. ISBN : 2-277-82007-5.
N° 1152. Dépôt légal mai 1985. Imprimé en France

Collections Duo
27, rue Cassette   75006 Paris
diffusion France et étranger : Flammarion

Coup de foudre